중소기업/스타트업을 위한 인사·노무 ESG 비밀노트

중소기업/스타트업을 위한 인사·노무 ESG 비밀노트

지은이   조용헌
지은이 이메일   hunnyc23@hanmail.net

발 행   2024년 05월 02일
펴낸이   한건희
펴낸곳   주식회사 부크크
출판사등록   2014.07.15.(제2014-16호)
주 소   서울특별시 금천구 가산디지털1로 119 SK트윈타워 A동 305호
전 화   1670-8316
이메일   info@bookk.co.kr

ISBN   979-11-410-8337-3
가 격   17,800 원

www.bookk.co.kr

대기업 출신 노무사가 알려주는

중소기업/스타트업을 위한

인사·노무 ESG 비밀노트

조용헌 지음

머리말

미국 예일대에서 법대생들을 대상으로 설문조사를 한 결과, 꿈을 글로 쓴 사람은 3%, 꿈이 있지만 표현을 하지 않은 사람 30%, 꿈도 없고 글도 안 쓴 사람이 67% 였다. 20년이 지난 후 졸업생들을 분석한 결과 97%가 꿈을 글로 쓴 3%의 동기생 밑에서 생활을 하고 있다는 조사 보고가 있다. 사람이 글로 쓰고 말로 그 꿈을 이야기하면 반드시 그 꿈이 이루어진다고 한다.

회사에 입사하여 법률자문 업무를 하던 중 우연히 HR업무를 하게 되었고, 그 과정에서 공인노무사를 공부하게 되어 시험에 합격을 하였다. 그 이후로 인사노무의 전문가로서 지주회사에서, 은행에서, 카드에서 다양한 경험과 자문을 하게 되었다.

이 책은 25년차 직장인이 대기업의 공인노무사로서, 그리고 전국경제인연합회 ESG전문가로서, 중소기업/스타트업에서 인사·노무 그리고 ESG 문제로 고민하는 분들에게 조금이라도 도움이 되었으면 하는 바램으로 쓰게 되었다.

출간을 앞두고 많은 분들의 도움을 받았다. 작가라는 꿈을 가질 수 있도록 책쓰기의 세계로 이끌어준 올레비엔님께 깊은 감사를 드린다. 또한 공인노무사의 첫걸음을 걸을 수 있도록 인도해주신 유인수 본부장님, 그리고 책쓰기로 바쁠 때 나의 빈자리를 메워 준 동료들에게 고마움을 전한다.

마지막으로 끊임없는 믿음과 응원으로 책쓰기를 잘 마칠 수 있도록 따뜻한 조언과 격려를 해주신 양가 부모님과 늘 배려와 넘치는 사랑으로 든든한 지원군이 되어준 사랑하는 아내 수연, 그리고 보석같은 두 아들 현준, 현재에게 고마움을 전한다.

차례

중소기업/스타트업을 위한
인사·노무 ESG 비밀노트

제1장

ESG의 개념

ESG란 무엇인가?

CHAPTER 1

CHAPTER 1
ESG란 무엇인가?

　자본주의의 발달과 경제성장으로 인해 국내외에서 기업의 사회적 책임(Corporate Social Responsibility ; CSR) 에 대한 인식이 제고되고 있으며, 최근에는 이와 유사한 ESG 즉, 환경 · 사회책임 · 지배구조와 같은 지속가능성이 높은 가치에 대한 중요성이 부각되며, 비재무적 요인을 투자 의사 결정에 반영하는 ESG투자에 관심이 고조되고 있다. 특히 코로나 19의 팬데믹(세계적 대유행)으로 친환경에 대한 투자자들의 의식변화로 ESG펀드의 신규 출시와 투자자산의 규모도 빠르게 증가하고 있다.

경영패러다임의 변화 - ESG

* * *

시장 지속가능성을 고려한 비즈니스

회사에 최근 기업경영의 패러다임이 과거 단기 이익추구에서 지속가능성을 고려한 경영형태로 전환되고 있다. 2020년에 열린 다보스 포럼(Davos Forum)[1]과 2019년에 비즈니스 라운드 테이블(Business Round Table)[2]에서 공통적으로 논의된 것이 바로 '이

---

[1] 2020년 다보스포럼은 올해 50주년을 맞이하여 2020년 1월 21일~24일 스위스 다보스에서 개최되었으며, 핵심주제는 '결속력있고 지속가능한 세계를 위한 이해관계자들(Stakeholders for a Cohesive and Sustainable World)이며, 도널드 트럼프 미국 대통령, 앙겔라 메르켈 독일 총리 등 각국 정재계 인사 3,000명 이상이 참석하여 '기후환경', 지속가능하고 포괄적인 비즈니스 모델'등의 주제로 약 350개 이상의 세션에 각 분야의 지도자들이 아이디어 및 의견을 공유하였다.

해관계자'였다. 이제는 기업이 주주 이익극대화를 추구하는 경영을 넘어서 환경, 고객, 협력사, 지역사회 등 모든 이해관계자를 고려한 포용적 성장으로 나가야 한다는 내용이 공유되었다. 특히 이 비즈니스 라운드 테이블에서는 애플, 아마존, 펩시, 월마트 등 미국을 대표하는 181명의 CEO가 한 자리에 모여 기업존재의 목적을 주주이익 극대화에서 이해관계자 이익 극대화로 변경하고 지속가능한 비즈니스로 전환하자는 데 뜻을 모아 서명을 하였다.

기업의 지속가능발전 목표달성에 대한 요구 증가

국제사회에서 기대하는 기업의 역할이 변화하고 있다. 전통적으로 사회문제해결은 공공의 책임으로 여겨왔지만 이제 국제사회에서는 기업이 사회문제해결에 동참할 것을 요구하고 있다. UN에서는 2030년까지 국제사회를 구성하는 모든 조직이 함께 달성해야 할 지속가능발전 목표인 <그림1> UN 지속가능 개발 목표(UN

---

2) 비즈니스 라운드 테이블이란 미국 내 200대 대기업 협의체로서, 2019년 8월 19일 비즈니스 라운드 테이블에서는 '기업의 목적에 대한 성명'을 발표했으며, 핵심은 기업의 봉사대상을 '주주(Shareholder)'에서 '이해관계자(Stakeholder)'로 확대한 것이다. 이해관계자란 주주를 포함해 근로자, 소비자, 납품업체, 커뮤니티 등 사실상 사회구성원 모두를 가리키며, 아마존의 제프 베조스, 애플의 팀 쿡, JP모건 체이스의 제이미 다이먼 등 회원 188명 중 181명이 서명하였다.

SDGs(Sustainable Development Goals)[3])를 발표하였다. 이 목표
는 빈곤, 질병, 교육, 성평등과 같은 인류의 보편적 사회문제해결과
더불어 기후변화, 에너지, 환경오염, 물, 생명 다양성과 같은 지구
환경문제 그리고 기술, 주거, 노사, 고용, 생산과 소비, 사회 구조,
법, 대내외 경제와 같은 경제 문제를 해결하기 위한 내용으로 구성
되어 있다. 주목해야 할 점은 이러한 사회문제 해결과 목표달성의
책임이 정부와 공공에만 있는 것이 아니라 민간기업도 함께 참여
할 것을 요구받고 있다는 점이다.

<그림1> UN 지속가능 개발 목표

(UN SDGs(Sustainable Development Goals))

---

3) UN SDGs(Sustainable Development Goals)는 2015년 UN과 국제
   사회가 달성하기로 합의한 총 17개 목표와 169개 세부목표로 구성
   된 2030년까지의 지속가능발전을 위한 국제적인 약속을 말한다.

기업가치의 원천이 유형자산에서 무형자산까지 확대

기업의 가치의 원천이 유형자산에서 무형자산으로 변화하고 있다. 하버드 비즈니스 리뷰[4])에 발표된 자료를 보면 1975년 기준 전체 시장 가치에서 유형자산은 83%, 무형자산은 17% 비중을 차지하였다. 그러나 40년 후 2015년에는 상황이 역전되어 기업시장가치의 대부분인 84%를 무형자산이 차지하고 있다는 연구가 발표되었다. 이에 앞으로는 투자자들이 필요로 하는 기업의 성과와 가치에 대한 정보는 재무성과 중심의 재무제표만으로 확인할 수 없다는 주장도 주목받고 있다.

비재무 리스크 관리에 대한 필요성 대두

기업을 위협하는 리스크의 종류가 다양해지고 있다. 과거 기업의 리스크 관리는 재무리스크가 주를 이루었으나 최근 이상기후현상과 더불어 쓰나미, 전염병, 사이버테러와 같은 기업을 위협하는 다양한 비재무 리스크가 증가하고 있다. 월드이코노미포럼 자료[5])에 따르면 10년전 발생가능성과 영향력 측면에서 바라본 주요 리스크

---

4) Harvard Business Review, "Why Leaders Are Still So Hesitant to Invest in New Business Models" (Barry Libert , Megan Beck and Steven Cracknell) December 21, 2016
5) World Economic Forum, The Global Risks Report 2019(14th Edition)

는 재무적 리스크가 대부분을 차지했으나 2019년에는 사회 환경 측면의 비재무리스크가 주요 리스크로 나타났다. 따라서 기업은 전사적 리스크 관리에 비재무리스크관리를 반드시 포함시켜야 하고 이것이 기업의 지속가능성에 중요한 부분이 되었다. 투자자 역시 이 부분을 예의주시하고 있으며 기업을 평가하기 위해 재무지표뿐만 아니라 비재무지표까지도 요구하고 있는 것이 같은 맥락에서 비롯된 것이다.

사회책임투자 확대

기업의 지속가능성에 비재무적 이슈가 매우 중요해짐에 따라 투자자들 사이에서도 사회책임투자6)에 대한 관심이 높아지고 있다. 경제시스템의 중추적인 역할을 하는 금융산업 그 중에서도 특히 기업의 성과와 수익자의 장기이익 극대화에 관심이 높은 기관투자자들은 사회환경적 영향을 고려한 사회책임투자를 확대해 나가고 있다. 전 세계 사회책임투자의 규모는 약 30.7조 달러로 전세계 자산운용에 41%를 차지하고 있고 매년 증가추세에 있다. 이미 세계

---

6) 사회책임투자(Social Responsible Investment)란 기업의 경영능력 및 재무상태 등의 가시적 성과뿐만아니라 환경, 인권, 노동, 반(反)부패, 투명한 지배구조, 지역사회의 공헌도 등과 같은 다양한 사회적 성과를 중시하는 지속가능경영을 실천하는 기업을 대상으로 하는 투자를 말한다.

최대자산운용사인 블랙록은 ESG요소를 자산운용에 적극 반영하겠다고 밝힌 바 있다. 블랙록은 화석연료 관련 매출이 전체 매출의 25%를 넘는 기업은 투자대상에서 제외하겠다는 등 적극적 주주권 행사를 예고하였다. 다시 말하면 환경, 사회, 거버넌스 경영을 잘하지 못하는 기업은 투자가 철회될 수 있다는 것을 의미한다.

ESG를 고려한 기업신용평가

ESG를 기반으로 하는 기업평가는 투자부문 뿐만 아니라 기업신용평가 부문에서도 적극적으로 도입되고 있다. 기업의 신용등급은 기업 자본조달에 매우 중요한 요소로 작용한다. 그런데 이러한 신용등급을 부여하는 신용평가사들이 UN PRI(Principles for Responsible Investment)의 ESG Incredit rating statement에 서명하여 기업의 신용평가에 ESG요소를 고려할 것을 약속했다. 특히 여기에는 글로벌 3대 신용평가사인 S&P, 무디스, 피치도 동참하였다는 점을 주목하여야 한다. 최근 무디스는 기업신용분석에 현금흐름이나 부채비율뿐만 아니라 ESG를 신용평가의 한 요소로 삼겠다고 발표하였다<그림 2>. 이에 따라 실제로 에너지기업인 엑손모빌이 저탄소경제에 제대로 대응하지 못한다는 이유로 올해 신용등급 전망을 '안정적(stable)'에서 '부정적(negative)'으로 하향조정되었고, 미국 자동차 기업인 포드의 경우에도 대출 관련 대규모 벌금이 부과될 가능성을 있음을 고려하여 지난해 신용등급이 '정크'수준으로 하향조정하여 종래 투자적격등급인 Baa3에서 투기등급인 Ba1으로 한단계 내린 바 있다. 이와 같이 기업 경영에 비재무적 요소에 대한 관리통합이 과거에는 선택적으로 이루어졌다면 지금은 국제사회의 흐름 즉, 투자자를 포함한 주요 이해관계자의 적극적인 요구에 따라 반드시 관리해야 할 필수불가결한 요인이 되었다. 나아가 이러한 ESG 통합을 통해서만 기업의 장기적인 지속가능성을 고민할 수 있게 되었다.

<그림2> 무디스 기업신용분석에서 ESG요인이 적용되는 과정

출처 : 머니투데이 기사(2020.02.03.)/엑슨모빌 · 포드 울린 무디스 경종...ESG는 위험최소화 위한 수단

ESG의 개념

✳ ✳ ✳

기업의 사회적 책임(CSR)의 의의

ESG를 설명하기에 앞서 CSR(Corporate Social Responsibility) 즉 기업의 사회적 책임에 대해 먼저 살펴보아야 할 것이다. 일반적으로 기업의 사회적 책임과 기업의 사회공헌 활동을 동일하게 인식하는 경우가 많다. 하지만 사실 CSR은 사회공헌활동보다 더욱 큰 개념이다. CSR에 대한 구체적인 정의는 다양하지만 그 중에서도 널리 알려진 것은 Caroll의 CSR 피라미드 모델에 기반한 것이다. Caroll은 이 모델을 통해 CSR은 '기업이 사회전체에 대해 갖는 책임으로써 경제적, 법적, 윤리적, 자선적 책임을 기업경영활동에 균형있게 실천하는 것'으로 정의하고 있다[7]<그림3>. 따라서 사람들이 CSR활동으로 착각했던 사회공헌활동은 CSR의 일부인 자선적 책임에만 국한되는 말로써 어떤 기업이 사회공헌활동만 잘 한다고 해서 그 기업이 CSR을 잘 하고 있다고 말할 수는 없다.

<그림3> Caroll의 CSR피라미드

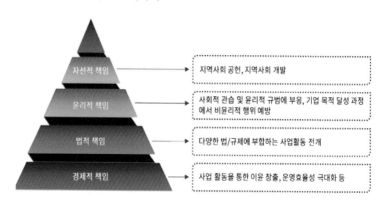

출처 : ESG와 기업의 장기적 성장(한국기업지배구조원)

ESG의 등장

이런 CSR에서 파생된 투자개념이 SRI 즉 사회책임투자이다. 엔론(Enron)의 회계부정사태, 영국의 석유회사 BP의 멕시코만 원유 유출사건과 같은 해외사례를 비롯해 국내에서 발생한 대한항공 오

7) Archie B.Caroll, 1991, "The Pyramid of Corporate Social Responsibility : Toward the Moral Management of Organizational Stakeholders", 「Business Horizons」

너리스크와 같은 사건을 통해서 기업이 사회적 책임을 다하지 않아 발생하는 이슈가 주가를 하락시킬 수 있다는 사실을 어렵지 않게 확인할 수 있다. 이와 같이 투자에 손실이 발생하는 사건들이 생기자 투자자들은 투자에 앞서 기업을 평가할 때 재무적 가치뿐만 아니라 비재무적 가치도 고려하게 된다. 이것이 바로 사회책임투자(Social Responsibility Investment/SRI)이다. 사회책임투자를 위해 투자자들은 비재무적 가치를 고려할 때 기업의 환경, 사회, 지배구조 즉 ESG를 기준으로 평가하게 된다. 기존의 기업이 사회 전반에 갖는 책임활동으로서 이용해왔던 CSR을 투자자는 ESG관점에서 평가하여 사회책임투자를 실행히는 것이다. 이제 ESG의 개념에 대해 보다 명확하게 정의해 보겠다.

ESG의 의의

ESG(Environment, Social, Governance)는 환경, 사회, 거버넌스의 약자로 E는 환경적인 경영활동, S는 사회적 책임을 다하는 경영활동, G는 투명하고 건전한 지배구조를 의미한다. ESG라는 용어가 처음 등장한 것은 2006년 UN이 발표한 책임투자에 관한 원칙(Principles for Responsible Investment/UN PRI)에서였으며, 여기서 UN은 기업의 환경, 사회, 지배구조 이슈가 투자포트폴리오 성과에 영향을 미친다고 설명하였다. 그렇다면 ESG의 각 항목을 구성하는 주요 요소들은 무엇이 있을까? 사실 현재까지 ESG에 대한 이슈는 표준화되어 있지 않다. 다만 앞에서 살펴본 바와 같이 ESG는 주로 투자기관과 평가기관에서 비재무적 가치를 판단하기 위한 핵심적 요소로 사용되므로 각 기관마다 어떠한 이슈를 중시할 것인지를 고려하여 각자의 기준을 세워 적용한다. UN PRI(Principles for Responsible Investment)가 제시한 ESG구성항목은 다음과 같다. 일반적으로 환경이슈는 기후변화대응 수준, 친환경제품 생산을 통한 자원보호, 오염물질 배출 최소화 등이 공통적이며, 사회이슈는 인권, 아동 노동 및 강제노동 금지, 근로조건 등을 다룬다. 또한 지배구조 이슈에 반부패, 이사회 구성 및 다양성, 회계 투명성 등을 고려하고 있다<표 1>.

<표 1> ESG 구성항목별 예시

ESG구성항목		예시
Environment	환경	-기후변화 -온실가스 배출 -자원고갈 -폐기물 및 오염 -산림 파괴
Social	사회	-인권 -현대판 노예제 -아동 노동 -근로조건 -노사관계
Governance	거버넌스	-부패 방지 -최고경영자 보수 -이사회 구성 및 다양성 -정치적 로비와 기부 -세무전략

출처 : UN PRI(Principles for Responsible Investment)

ESG의 구성항목

그렇다면 ESG 각 분야별 세부이슈를 영역별로 조금 더 자세히 살펴보겠다. 일반적으로 환경(E)영역에서는 기후변화에 대한 대응, 친환경제품 개발, 오염물질배출 최소화 등의 활동 등이 포함된다고 하였다. 특히 기후변화대응은 에너지 및 온실가스 배출 저감을 위한 활동이 대표적이라고 할 수 있다. 최근 기업들이 사용전력의 100%를 재생에너지로 충당하는 것을 목표로 하는 자발적 캠페인이 RE100[8])도 기후변화와 관련된 활동이라고 할 수 있다.

특히 구글과 애플은 신재생에너지 100% 사용을 달성한 바 있다. 한편 친환경제품 개발은 고객 및 소비자가 사용하는 제품서비스가 친환경적일 수 있도록 제품을 설계하고 생산하는 것을 의미한다. 이는 제조업체에만 해당되는 것이라 생각할 수도 있는데 금융권에서는 이 이슈가 화석연료와 같이 환경오염을 야기하는 기업에 대출과 투자를 하지 않는 것이 이 영역에 해당된다.

---

8) RE 100(Renewable Energy 100%) : 기업이 필요한 전력량의 100%를 태양광, 풍력 등 친환경적 재생 에너지원을 통해 발전된 전력으로 사용하겠다는 캠페인으로서, 2014년 국제 비영리 환경단체인 The Climate Group과 탄소 정보 공개 프로젝트(Carbon Disclosure Project/CDP)가 연합하여 개최한 2014 뉴욕시 기후주간(Climate Week NYC 2014)에서 처음 발족하였으며, 이 캠페인에 참여하기 위해서는 다음 3가지 요건을 갖추어야 한다. 첫째, 기업이 100%재생에너지원을 통해 발전한 전략을 사용하겠다는 계획을 공개선언해야 하며, 둘째, 기업이 보유한 전 세계 모든 사업장 및 사무실의 전력 사용을 재생에너지원을 통해 조달해야 하며, 셋째, 각 기업이 매년 재생에너지 전력사용 목표량에 대한 달성 수준을 탄소 정보 공개 프로젝트(CDP)에 보고해야 한다

다음으로 사회(S)영역에 대해서 알아보도록 하겠다. 사회(S)영역에서는 인적자원관리, 산업안전, 공정거래 등과 같은 이슈도 포함된다. 인적자원관리는 채용비리, 직장내 괴롭힘과 같은 사회문제들도 포함되는데 이러한 문제들은 사회적 이슈가 되어 직장내괴롭힘방지법 등 법령으로 시행되기도 해서 잘 이행하지 못하는 경우에는 노동고용 관련 법규위반으로 이어지기도 한다. 산업안전의 경우에는 제조업에서만 발생할 수 있는 이슈 같지만 올해 발생한 콜센터 상담원들의 코로나19 집단감염과 같은 내용도 산업안전영역에 속하는 이슈라 선제적으로 관리해 나가야 하는 부분이다. 또한 공정거래의 경우도 일반적으로 협력사가 많은 기업에게 특별히 중요한 영역으로 간주되고 있다.

마지막으로 기업지배구조(G)영역에는 주주의 권리, 이사회 구성과 활동, 감사제도, 관계사의 위험, 배당과 같은 내용이 포함된다. 주주의 권리는 기업의 가치를 훼손할 수 있는 CEO가 사내이사를 겸임하여 기업의 의사결정에 영향력을 행사하지 못하도록 경영권을 보호하는 활동과 전자투표 및 위임장을 통해 거주지역이 멀리 떨어져 있는 주주 및 소액주주의 의견까지 존중하는 활동, 주주총회 정보의 사전공시 및 공개와 같은 내용이 이 영역에 포함된다. 그리고 배당에는 과소배당을 통해 주주가치를 훼손하는 경우가 해당되며, 국민연금이 매년 과소배당 상장사들을 모니터링 및 지적하여 배당압박을 행사하고 있기도 하다.

중소기업은 왜 ESG를 해야 하는가?

CHAPTER 2

CHAPTER 2
중소기업은 왜 ESG를 해야 하는가?

국내외 ESG 경영 트렌드 확산에 따라 대기업뿐만 아니라 중소기업의 ESG 경영에 대한 관심도 지속적으로 증대되고 있다. 실제로 EU공급망 실사 법안 도입이 논의되고 있으며, 국내에서도 대기업의 협력사 ESG 관리 요구가 증가함에 따라 중소기업의 ESG 추진 환경 및 중소기업의 ESG 경영 추진 방향에 대하여 살펴볼 필요가 있다.

중소기업의 ESG 추진 환경

* * *

정책 지원 및 기회요인

최근 들어 중소기업의 ESG 경영 확산을 위한 정책적 지원과 대·중소 협력사업이 활성화되고 있다. 이는 ESG 경영 도입 또는 성과창출 확대를 희망하는 중소기업에게 좋은 기회가 될 수 있다. 현재 진행되는 주요 중소기업 ESG 지원사업은 크게 ① 금융지원과 ② ESG 역량 지원으로 나눌 수 있다.

① 금융지원의 경우 주로 ESG 성과 우수 중소기업에게 인센티브를 제공하는 관점에서 자본조달시 여신에 가점을 부여하는 형태로 대출/지원 한도 증액 및 금리우대 등의 금융혜택을 부여한다.

예컨대 중소기업벤처부에서는 중소기업 ESG 진단을 통한 인증

기업 대상 정책자금 유자 우대 또는 증소기업 사업 지원시 가점을 부여하는 혜택을 도입 추진 중에 있다. 시중은행은 기업의 ESG경영활동에 등급을 부여하여 우수 중소기업 대상 별도 지수를 구성하거나, 우수 기업을 대상으로 0.2%p에서 많게는 1.5%p까지 우대금리를 제공하는 대출상품을 운영중이다.

ESG 우수기업뿐만 아니라 우수기업이 추천한 협력사도 대출 이용이 가능한 상품도 생겨나고 있다. 특히 탄소중립 이행 가속화를 위한 민·관의 친환경사업 투자 확대 흐름을 주목해야 하는데, 실제로 기업의 온실가스 감축 여건과 감축 역량, 기대 효과 등을 고려한 우대금리 제공이나 신재생에너지 사용확대 등에 대한 자본조달이 급격히 확대되고 있다. 단적인 예로 산업은행은 2020년과 2021년에 친환경사업을 영위하는 중소·중견기업에 약 7천억원을 투입한 바 있다.

② ESG 역량 지원의 경우 대기업의 주도로 ESG 경영을 희망하나 관련 자원 또는 기술이 부족한 중소기업을 선정하여 대기업의 관련 인프라를 공유하거나 ESG 관련 교육을 제공하는 동반성장형 모델이다. 국내 반도체 제조인 A사는 협력사의 친환경 경영 이행에 필요한 역량 공유 및 산업 내 ESG 생태계 활성화를 위한 파트너십을 운영중으로, 협력사와 환경 가치 창출을 위한 아이디어를 공모하고 공유하거나 유망 기술에 대한 자금 지원을 이행한다.

ESG 경영역량이 부족하여 고위험 협력사로 판별된 중소기업에 대해서는 ESG 역량지원 및 컨설팅을 실시하기도 한다.

그러나 아직까지 국내에서 이러한 형태의 중소기업 ESG 정책지원이나 육성사업의 경우 ESG 경영 도입기이거나 혹은 ESG 경영에 대한 필요성을 체감하지 못하는 중소기업보다는 어느 정도 ESG 추진에 대한 의지를 보유하고 이미 관련 역량을 축적하기 시작한 ESG 성숙기 중소기업의 육성에 초점이 맞추어져 있다는 한계가 존재한다.

실질적으로 ESG에 대한 개념 인지가 부족하거나 ESG경영을 막 시작하고자 하는 단계의 중소기업은 앞서 언급된 정책지원 및 육성사업의 대상이 되지 못하는 사각지대가 존재하는 것이다.

리스크 요인

ESG 경영 역량을 확보하지 않은 중소기업은 기업의 지속가능성에 리스크를 부담하게 된다. 첫번째로 고객사 또는 최종소비자의 구매의사결정에서 경쟁열위에 놓여 수익성이 악화될 수 있다.

기존의 공급망 ESG 리스크 관리는 제3세계 분쟁광물 사용을 근절하고자 하는 전기전자 업종과 아동노동/강제노동에 취약한 글로벌 의류/식품 제조기업에 그 영향력이 국한되었다. 그러나 글로벌 기업과 EU를 중심으로 공급망 ESG 리스크 관리 요구를 점차 확장함에 따라 공급망 ESG 평가는 산업 경계를 막론하고 확장되기 시작하여 ESG 경쟁력을 확보하지 않은 기업은 거래계약에서 배제될 가능성이 높아졌다.

그리고 ESG 경영수준으로 기업의 리스크를 판단하는 금융권의 ESG 투자 확산으로, ESG 리스크가 높은 기업은 자본조달 비용이 상승함에 따라 재무건전성 또한 위험에 놓일 수 있다. EU는 금융기관 투자 및 금융거래대상의 지속가능금융공시 규제(SFDR)를 2021년 3월부터 시행중이며, 글로벌 3대 자산운용사인 블랙록, Vanguard, SSGA는 모두 ESG 요소를 투자의사결정과 의결권 행사에 반영하고 있다. 신용평가기관 역시 자체 ESG 평가 기법 도입을 통해 ESG성과를 기업 신용등급 조정에 반영한다. 이러한 자본시장의 움직임은 국내에도 영향을 미쳐 은행의 투자 포트폴리오 설계와 여신 프로세스에 기업의 ESG 리스크를 보다 깊숙이 침투시키고 있다.

중소기업의 ESG 경영 추진 방향

ESG 관리지표 및 실천과제 도출

우선 중소기업이 ESG 추진에 있어 무엇을 관리해야 하는지 그 범위를 정할 필요가 있다. 대기환경보전법, 폐기물관리법, 화학물질관리법(환경(E)영역)이나 근로기준법, 직장 내 괴롭힘금지법, 남녀고용평등법, 산업안전보건법, 노동조합 및 노동관계조정법(사회(S)영역)이나 뇌물방지법, 자금세탁방지법, 공정거래법(지배구조(G)영역) 등 국내외 규제 당국의 ESG 관련 규제 및 최근 공급망 ESG 관리 요구 증대에 따라 중소기업의 주요 고객사인 대기업/글로벌 기업이 협력사 평가시 사용하는 ESG 평가기준을 점검하여 도출한 중소기업 ESG 관리 주요지표는 다음과 같다<그림4>.

<그림4> 중소기업 ESG 관리 주요 지표

영역	지표
환경 (6)	환경경영체계 구축
	온실가스 배출 저감
	자원 사용, 폐기 및 재활용
	유해물질 배출/폐기
	제품 탄소발자국
	친환경 기술 기회
사회 (6)	고용 관행
	공급망 포함 아동노동/강제노동
	차별 및 직장 내 괴롭힘 금지
	산업안전보건
	지적재산 및 고객정보보호
	제품안전 및 품질
지배구조 (2)	투명경영
	반부패/준법경영

출처 : 중소기업 ESG 추진전략(대한상공회의소, 삼정KPMG)

ESG 경영을 추진하고자 하는 중소기업은 각 ESG 관리 지표에 대한 일반적 우선순위화를 통해 지표별 관리 방향 수립을 하여야 한다. 즉 ESG 관리지표를 중소기업의 대응의 시급성과 관리의 용이성 측면에서 우선순위화할 수 있으며, 각 중소기업별 자사 비즈니스 특성과 당면 규제 등 경영상황에 따라 조정할 수 있다. 이에 각 영역별 관리지표의 정의와 관리방향을 정리하면 다음과 같다 <그림5>.

<그림5> ESG 관리지표별 중소기업 관리 방향

구분	관리지표	관리 방향
(1) 단기 내 우선 추진 (시급성 高, 관리 용이성 高)	[사회] 고용 관행	정규직 고용 비중 확대, 공정한 처우와 임금제공, 법규상 근로시간 준수 및 휴식시간 보장, 고용상의 차별 금지, 결사의 자유 보장
	[지배구조] 투명경영	주요 의사결정사항에 대한 구성원 정보공유 확대, 투자자 소통 및 재무/비재무 정보 공개 강화를 통한 경영상의 정보 비대칭 해소
	[지배구조] 반부패·준법 경영	기업 운영 과정에서 요구되는 법규와 산업 표준을 준수하고 임직원 및 경영진의 청렴성 및 투명성을 확보하기 위한 윤리경영 정책 수립, 윤리경영 이행 현황 점검 및 내·외부 감사체계 확립
	[환경] 환경경영 체계	환경경영을 위한 시스템 구축, 내부 관리인력, 데이터 관리 등 체계 정비, 목표 수립 및 환경성과 개선 이행, 대외 환경경영인증시스템 (ISO 14001 등) 획득
(2) 중·장기 대응 계획 수립 (시급성 高, 관리 용이성 低)	[환경] 유해물질 배출/폐기	생산공정에서 발생하는 휘발성 유기화합물(VOC), NOx, SOx, 미세먼지 등 주요 유해물질 및 유해폐기물 최소화, 배출 및 폐기 관리 상의 환경 규제 준수
	[사회] 지적재산 및 고객정보보호	자사 중요 정보 및 고객정보에 대한 관리체계 수립, 사내 정보보안 시스템 점검, 정보보호 책임자 지정
	[환경] 온실가스 배출	사업장 운영 및 생산단계 에너지 사용 효율화, 온실가스 배출량 저감 추진으로 기후변화 관련 규제 강화에 대응 역량 확보
	[사회] 산업 안전·보건	근로자 재해율 관리 및 경감을 위한 노력, 중대재해·직업성 질환 발생 방지를 위한 근로환경 개선활동 이행 (위험작업 식별/평가 등), 사업장 안전문화 구축 및 근로자 안전교육 실시
	[환경] 자원 사용·폐기 및 재활용	원자재, 용수 등 자원 사용량 저감 활동 및 적법한 폐기절차 확립, 폐기물 매립량 최소화 및 재사용·재활용 증대 추진
(3) ESG 역량 고도화 (시급성 低, 관리 용이성 高)	[사회] 차별 및 직장 내 괴롭힘 금지	직장 내 차별 및 부당한 대우 근절, 강압적 연장/주말근로 및 불공정한 성과평가 지양, 근로상의 인권 리스크 예방
	[사회] 제품안전 및 품질	제품 안전사고 발생 최소화 관점의 품질검사 실시, 대외 품질인증 획득 등
	[사회] 공급망 포함 아동노동/강제노동	자사 및 공급망 내 미성년 근로자의 부적법 채용이나 취약계층 강제노동 이슈 발생 방지 및 관련 상품/원재료 구매 근절
4) ESG 기반 비즈니스 기회 확보 (시급성 低, 관리 용이성 低)	[환경] 친환경 기술 기회	신·재생에너지, 탄소포집 및 에너지 저장장치, 폐수처리/폐기물 재활용 등 친환경 기술 역량 축적 및 관련 사업기회 확장
	[환경] 제품 탄소발자국	제품단위당 조달 및 생산단계에서 발생하는 탄소배출량 측정 및 관리로 저탄소 제품 생산 확대, 제품 유통·운송 시 환경영향 최소화를 통한 고객 친환경제품 수요 선점

출처 : 중소기업 ESG 추진전략(대한상공회의소, 삼정KPMG)

ESG 경영을 추진하고자 하는 중소기업은 이러한 우선순위와 접근법에 기반하여 자사의 ESG 관리 방향을 수립할 수 있으며, 각 영역에서 실질적으로 ESG리스크와 기회를 관리하기 위해서는 우선적으로 관련 항목에 대한 자사의 현황 파악이 선행되어야 한다. 이에 국내외 규제 요구수준과 공급망 ESG 평가항목을 기반으로 중소기업이 각 ESG 관리지표별 내부 현황을 자가 진단하기 위한 체크리스트는 다음과 같다<그림6>.

<그림6> 관리지표별 ESG 체크리스트

영역	관리지표	관리 방향
환경	환경경영 체계	• 조직 내 환경관련 업무를 담당하는 인력 또는 부서가 지정되어 있는가? • 전력/수자원 사용량, 탄소배출량 등 환경성과의 측정이 주기적·연속적으로 이루어지고 있는가? • ISO14001 등 외부 환경경영인증을 취득할 계획 및 필요성이 있는가?
	온실가스 배출	• 조직이 직접 발생시키거나 에너지 사용을 통해 간접적으로 발생시키는 온실가스 배출량을 측정 및 관리하고 있는가? • 온실가스 배출량 감축에 대한 계획 및 목표가 수립되어있는가?
	자원사용/ 폐기 및 재활용	• 조직의 수자원 사용량과 폐기물 배출량은 법적 요구 수준을 충족하고 있는가? • 폐수 및 폐기물 처리 방식은 적법한가? • 조직 내 수자원 사용량 절감 및 폐기물 감축/재활용 확대에 대한 계획이 수립되어 있는가?
	유해물질 배출/폐기	• 유해물질 배출량과 폐기 방식은 법적 요구 수준을 충족하고 있는가? • 유해물질 배출량 절감에 대한 계획 및 목표가 수립되어있는가?
	제품 탄소발자국	• 제품단위당 탄소배출량을 측정 및 관리할 수 있는가? • 저탄소 제품 제조 및 출시를 통한 경쟁력 확보가 가능한가?
	친환경기술 기회	• 조직은 친환경기술에 투자 및 개발하고 있는가? • 동종/경쟁사 대비 자사 제품이 우월한 친환경성을 보유하는가? • 현재 조직이 영위하고 있는 사업과 미래에 영위할 사업은 소비자의 친환경제품 선호 증대에 따라 더 많은 수익을 확보할 수 있는가?
사회	고용 관행	• 조직이 고용한 정규직 임직원들은 공정한 대우와 보상을 받고 있는가? • 조직이 고용한 계약직/임시직 직원들에 대해 적정한 근로 조건을 명시한 계약서를 작성하였는가? • 고용 과정에서 성별, 인종, 국적, 신체적 자유 등에 대해 차별이 없도록 관리하고 있는가? • 조직 내 근로자들의 결사의 자유가 보장되는가? • 조직의 근로자들은 적법한 수준의 근로시간 및 휴식시간을 준수하고 연장근로 현황이 관리되고 있는가?
	공급망 포함 아동노동/강제노동	• 조직의 고용 관행 내 아동노동/강제노동을 금지하고 있는가? • 조직의 핵심 공급망 내에서 발생가능한 아동노동/강제노동 리스크는 없는가?
	차별 및 직장 내 괴롭힘 금지	• 근로자가 조직 내에서 발생하는 고충에 대해 논의할 수 있는 의사소통 채널이 존재하는가? • 조직문화 및 근무만족도에 대해 주기적으로 평가/측정할 수 있는 시스템이 존재하는가? • 조직 내 근로자에 대한 부당한 대우, 괴롭힘 또는 성희롱 등의 인권 침해 발생 시 이를 처리하는 적절한 프로세스가 마련되어 있는가?
	산업 안전 및 보건	• 공정 및 사업장 내 위험작업을 식별하고 관리하며 위험작업에 대한 적절한 완화 조치를 이행하고 있는가? • 근로자에게 안전/보건 교육을 제공하고 있는가? • 근로자 재해율의 최근 3개년 추세는 어떠한가?
	지적재산 및 고객정보보호	• 조직 내 모든 지적 재산 및 주요 영업정보의 반출/입이 적절한 보안관리시스템 하에서 행해지는가? • 근로자 대상 정보보안 교육을 실시하는가? • 인적, 물리적 보안리스크를 주기적으로 점검하는가? • 사내 정보보호 담당자가 지정되어있는가?
	제품 안전 및 품질	• 제품/상품의 품질을 검수/평가하고 관리하는 프로세스가 공식화되어있는가? • 지난 3년 간 제품 관련 품질 이슈 및 반품, 리콜 등의 발생 추세는 어떠한가? • 제품에 대한 고객 만족도 및 피드백을 체계적으로 관리하고 제품 개선에 반영하고 있는가?

지배 구조	투명경영/ ESG경영	• 경영상의 주요 현안에 대한 의사결정에 앞서 최고경영진이 조직 내 일부 또는 전체 구성원과 충분한 소통을 이 행하는가? • 조직의 자금 관리 및 집행이 독립적인 부서/인력에서 투명하게 이루어지는가? • 조직의 손익계산서와 재무상태표가 적법한 형태로 주기적으로 작성되고 관련 법인세를 성실히 납부하는가? • 조직의 주요 ESG 리스크/기회에 대해 관리하고 고객사 요청시 관련 정보를 공개할 수 있는가?
	반부패/ 준법 경영	• 조직은 사업 운영상 준수해야 하는 경제/사회/환경 측면의 법규 동향을 모니터링하고 관련 리스크가 없도록 관 리하고 있는가? • 윤리경영에 대한 임직원 행동강령/방침 등이 명문화되어있는가? • 고객사와 계약체결 시 발생가능한 리스크를 관리하고 입찰 단계부터 거래 성사, 용역 종료시까지 법률 및 절차 상의 공정성을 준수하고 있는가? • 임직원의 윤리규정 준수에 대해 주기적으로 집검하고 내부에서 발생가능한 부패/뇌물수수/자금세탁 등의 리스 크를 관리하고 있는가?

출처 : 중소기업 ESG 추진전략(대한상공회의소, 삼정KPMG)

　　이러한 체크리스트를 기반으로 중소기업은 스스로 자사의 현황을 진단하여 개선이 필요한 영역을 발굴하고, 자사에게 적합한 ESG 개선과제를 수립할 수 있다. 도출된 개선과제는 이행 현황 및 진척도, 추가 점검 및 의사결정 필요사항에 대해 경영진이 직접 주도하여 주기적인 성과점검을 실시하여야 한다<그림 7>.

<그림7> 중소기업 ESG 실천과제 도출 (예시)

접근 방식	ESG 실천과제 구분		
	환경	사회	지배구조

(1) 단기 내 우선 추진	**[환경경영 체계]**
	- 환경 담당자 지정
	- 관련 데이터 취합관리
	- 외부 인증획득 추진
		[산업 안전/보건]
		- 고위험작업 식별 및
		  작업위험성 경감
		- 재해율 저감 목표 수립
			[반부패 및 준법 경영]
			- 윤리강령 제정
			- 내부 윤리경영 점검
			  체계 구축

(2) 중장기 대응 계획 수립	**[온실가스 배출]** - 온실가스 배출량 측정 체계화 - 온실가스 배출량 저감 목표 수립	-	-
(3) ESG 역량 고도화	-	**[차별 및 직장내 괴롭힘 금지]** - 조직문화 Survey 도입 및 교육 실시 - 임직원 고충처리 채널 마련	-
(4) ESG 기반 비즈니스 기회 확보	**[친환경기술 기회]** - 친환경제품군 지속 확대 - 대/중소 연계 파트너십 참여를 통한 투자 유치 모색	-	-

출처 : 중소기업 ESG 추진전략(대한상공회의소, 삼정KPMG)

체계적인 정보 관리

앞에서 살펴본 바와 같이 ESG 현황 진단과 실천과제를 확인한 중소기업은 이후의 체계적인 현황 및 성과관리를 위해 우선적으로 안정적인 데이터 관리 체계를 확보해야 한다. ESG 데이터 관리란 ESG 관리지표별 규제대응 및 고객/고객사 요구사항 대응을 위한 조직 내부 현황정보의 연속성 있는 식별 및 축적을 뜻한다. ESG 관련 내부 데이터를 체계적으로 관리하는 기업은 향후 실무담당자 변경시에도 일관되고 연속성있는 ESG 성과관리가 가능하며, 규제 당국이나 고객사의 ESG 관리 성과 및 관련 데이터 요구 시에도 수월하게 대응할 수 있다.

파트너십을 통한 성과창출

ESG 실천과제를 도출하고 데이터 관리 체계를 수립한 조직은 ESG 성과 창출 및 관련 성과의 소통을 통한 경쟁 우위 확대를 추진해야 한다. 최근 중소기업의 ESG 성과창출을 촉진하기 위한 대기업과 금융기관의 지원사업이 활성화되고 있다<그림8>.

<그림8> ESG 성과창출을 위한 대기업과 금융기관 지원사업

[대기업의 중소협력사 ESG 지원사업]

기업명	ESG 관점 동반성장 추진활동
LG화학	– 협력사 대상 ESG 교육 간담회 개최로 강화되는 ESG 규제 및 정책에 협력사가 선제적으로 대응할 수 있도록 역량 강화 지원 예. (화학물질 안전) 관련 국내 법규 주요 내용 공유 　　(에너지 효율) 설비 및 관리체계 교육 및 진단
SK hynix	– 반도체 산업 내 환경문제 공동 해결을 목표로 "Eco Alliance" 구축, 전문컨설팅과 교육 등 지원 예. (환경경영) 환경 관련 기술/노하우 공유 및 법규 이슈 대응 　　(지적재산 보호) 협력사 지식재산권 보호를 통한 지속성장 지원 　　(산업 안전보건) 협력사 환경, 안전·보건 분야 법규 지원

[시중은행 ESG 특화 대출상품]

기업명	상품	내용
신한은행	신한ESG 우수상생지원대출	ESG 우수기업에 연 0.2~0.3%p 금리 우대
NH농협은행	NH친환경기업 우대론	환경 기여도에 따라 최대 1.5%p 금리 우대
KB국민은행	KB그린웨이브 ESG기업대출	평가기준 충족에 따라 최대 0.4%p 금리 우대
BNK경남은행	E-Green Loan	친환경인증 획득 기업 대상 대출 한도 우대, ESG특별금리감면 최대 0.5%p 적용
IBK기업은행	환경·안전 설비 투자 펀드	대기오염 방지 및 온실가스 감축 등 환경/안전 설비 신규 투자 기업 대상 특화 대출상품
	에너지 이용 합리화 자금	한국에너지공단으로부터 융자 추천 받은 기업 대상 특화 대출상품
	늘푸른하늘 대출	신재생에너지, 친환경발전 등 사업 영위 중소기업 대상 연 1.0%p 금리감면 혜택
우리은행	우리ESG 혁신기업대출	친환경 관련 인증서 보유기업에 0.1%p, 고용보험 등 4대 사회보험 자동이체 실적, 상시근로자 수에 따라 1~1.5%p 우대금리 제공

출처 : 중소기업 ESG 추진전략(대한상공회의소, 삼정KPMG)

제1장 ESG의 개념

스타트업과 ESG

CHAPTER 3

CHAPTER 3
스타트업과 ESG

　스타트업이라는 영어 단어의 사전적 의미는 '새로 시작한 사업'
이라는 뜻이다. 스타트업을 일반 신설법인과 구별 짓는 기준은 '이
미 투자를 받았거나, 아니면 투자받을 가능성이 있는 비즈니스 모
델인지 여부이다. 각종 투자기관에서 받은 투자금은 신설기업을 스
타트업으로 만드는 충분조건이다. 스타트업의 특징으로 꼽히는 IT
기반, 파괴적 혁신, 수평적 조직문화 등은 스타트업의 필요조건이
지 충분조건은 아니다. 이러한 스타트업도 ESG에 주목해야 할 것
이다.

스타트업이 ESG에 주목해야 하는 이유

스타트업의 경우 투자 유치가 필수적이어서 이러한 사회적 인식 변화에 선제적으로 대응해야 할 것이다. 요즈음 투자사들 역시 기업이 ESG 경영을 하는지 여부를 투자의 결정적인 요소로 보고 있다. 더욱이 소비자들도 기업에 ESG 이행을 요구하고 있으며, 착한 기업, 착한 가게에 대해 '돈쭐을 낸다'는 표현까지 등장하고 있다. 즉 ESG 경영을 하려면 단순히 법률만 잘 지키는 것뿐만 아니라 도덕적으로 좀 더 나은 사회를 만들기 위해 고려되는 추가적인 요소가 필요하다 할 것이다.

특히 초기 스타트업의 경우 지배구조(G)영역, 즉 거버넌스와 관련하여 창업자 이슈가 매우 중요하다 할 것인데, 최근 한 치킨 브랜드 창업자가 비서를 성추행한 사건으로 인해 해당 브랜드는 찾아보기 어렵게 되었는데 초기 스타트업에 창업자 이슈가 발생하면 회사가 날아갈 정도로 악영향을 끼친다 할 것이다.

또한, 스타트업의 경우 친환경적인 소재나 목표를 설정하고 설립된 기업이 많은데, 그 부분을 강조하고 홍보하면 공급망 실사 의무화에 따라 대기업의 서플라이 체인으로 등록될 수 있는 기회가 될 수 있어 환경 경영(E)에 대한 목표 설정도 중요하다 할 것이다.

스타트업이 준수해야 하는 사회(S)영역의 경우 직장내 괴롭힘, 성희롱 관련 대응 매뉴얼, 투명한 분쟁 해결 절차 마련 등 근로자의 인권침해 방지를 비롯해 이사회 구성에서 인종, 성별, 장애 등에서 자유로운 다양성을 추구하는 것이 바람직하다 할 것이다.

스타트업과 ESG 경영보고서

2022년 7월 중소벤처기업부에서 스타트업의 ESG역량 제고를 위해 국내 최초로 「ESG벤처투자 표준 지침(가이드라인)」[9]을 마련해 벤처캐피탈에게 제시하였다.

ESG벤처투자 표준 지침(가이드라인)의 기본 방향은 ESG벤처투자절차와 체크리스트를 마련하는데 UN PRI(Principles of Responsible Investment)와 해외 사례를 참고하여 글로벌 기준에 부합하도록 하였으며, 범용성을 높이기 위해 「K-이에스지(ESG)지침(가이드라인)(2021.12, 관계부처 합동)」, 「중소기업 이에스지(ESG)점검표(체크리스트)(2021.1, 중소벤처기업부)」 등의 기준도

---

9) **ESG벤처투자 표준 지침(가이드라인) 주요내용**
   1. ESG 펀드(모태펀드 출자)를 운용하는 벤처캐피탈은 ESG 벤처투자 정책을 수립하고, ESG 투자심의기구를 설치·운영해야 한다.
   2. ESG 가치에 반하는 기업을 투자대상에서 배제하는 네거티브 스크리닝 평가 기준을 도입하여 투자 프로세스에 적용해야 한다.
   3. ESG 투자 검토기업의 ESG 리스크 분석을 위해 ESG 표준 실사 점검표(체크리스트)를 제공한다.
   4. 가이드 도입 초기임을 고려하여 투자기업 발굴 및 심사단계는 가이드라인이 의무사항이나, 이후 투자 의사결정, 사후관리, 투자 회수단계에서는 가이드라인이 권고사항으로 펀드운용사의 자율운영이 가능하다.

함께 고려하였다.

　벤처투자일수록 기업의 성장단계를 고려하는 것이 매우 중요하므로 비즈니스모델 확립 전과 확립단계, 그리고 그 이후 성장단계로 나누어 레벨1부터 레벨3까지 구분하여 중소 · 벤처 · 창업초기 기업(스타트업)의 성장단계별, 산업별 특성을 고려하여 수용가능성을 제고하였다<그림9>.

<그림9> 기업 성장단계별 투자검토기업 분류

기업 성장단계별 투자검토기업 분류		
분류기준	Level 1	Level 2	Level 3
기업 발전 단계	· 비즈니스 모델 확립 전 · 주요 평가대상은 창업자와 팀의 역량과 비전 보유기술	· 비즈니스 모델 확립 단계	· 본격적인 성장 단계 · IPO나 M&A 가능성
구분 예시*	시드, 프리시리즈A 또는 해당 라운드 총 투자금액 20억 이하 또는 기업가치(Pre 기준) 100억 이하	시리즈 A, B 또는 해당 라운드 총 투자금액 20~150억 또는 기업가치(Pre 기준) 100~750억	시리즈 C 이상 또는 해당 라운드 총 투자금액 150억 이상 또는 기업가치(Pre 기준) 750억 이상

출처 : 「이에스지(ESG) 벤처투자 표준 지침(가이드라인)」마련해 시범운용 실시(중소벤처기업부 보도자료, 2022.07.14)

　또한, 산업별로도 ESG요소의 중요도가 다른데 아래 표와 같이 바이오, ICT 등 산업군별 특성을 고려하여 산업별 주요 ESG요소를 분류해놓았다. 물론 펀드 운용사의 상황과 포트폴리오 구성, 전략 등에 맞게 일정 범위 안에서는 자율적으로 수정할 수 있도록 하였다<그림10>.

<그림10> 산업별 주요 ESG요소 분류

산업별 주요 이에스지(ESG) 요소		
산업분류	Level 1	Level 2 & Level 3
바이오·의료	임상 시험 참가자의 안전, 제약·의료서비스에 대한 접근성, 인적 자원의 개발 및 유지	제품에 대한 가격 접근성, 위조 의약품 방지, 제품안전, 윤리적 마케팅, 공급망 관리, 윤리 경영
ICT서비스 / 게임	데이터 프라이버시와 표현의 자유, 데이터 보안, 인적 자원의 다양성	하드웨어 인프라의 환경 부하, 지적 재산권 존중 및 공정 경쟁, 서비스 중단 리스크 관리
영상·공연·음반	컨텐츠와 제작·관리진에서의 다양성 및 포용성	보도·공연·방송 윤리, 저작권 보호
ICT제조	제품에서의 정보 보안 , 인적 자원의 다양성, 제품 수명 주기 관리	공급망 관리, 지속 가능한 원료 구매, 온실가스 배출 관리, 에너지 사용량 관리, 용수 사용량 관리, 폐기물 배출 관리, 산업 안전, 지적 재산권 존중 및 공정 경쟁
전기·기계·장비	제품 수명 주기 관리	제품 안전, 에너지 사용량 관리, 위험 폐기물 관리 지속가능한 원료 구매, 윤리 경영
화학·소재	사용 단계에서 제품 환경성 개선, 화학물질의 안전·환경 관리	온실가스 배출 관리, 대기오염물질 배출 관리, 에너지 사용량 관리, 위험 폐기물 관리, 지역 사회와의 관계, 산업 안전, 법률 및 규제 관리, 환경 사고 예방 및 대응 체계
유통·서비스	근로자 인권 보호, 인적 자원의 다양성	에너지 사용량 관리, 고객 정보 보호, 제품·포장·마케팅에서의 환경·사회적 지속가능성 개선

출처 : 「이에스지(ESG) 벤처투자 표준 지침(가이드라인)」마련해
시범운용 실시(중소벤처기업부 보도자료, 2022.07.14)

아래 벤처캐피탈의 ESG 벤처투자 프로세스<그림11>를 보면 의무 적용 사항 중에 벤처캐피탈이 ESG실사나 평가를 한다고 되어 있다. 물론 각 벤처캐피탈별 실사나 평가방법, 점수 구성은 공개되지 않지만, 그 관점과 어떤 것을 집중해서 보는지 알 수 있게 되는데 특히 스타트업의 경우는 창업 초기인만큼 많은 자원을 활용할

수 없고 선택적으로 자원을 활용해야 하는 바, 할 수 있는 것과 해야되는 것이 무엇인지를 판단하는 것이 가장 중요하다 할 것이다.

<그림11> 벤처캐피탈의 ESG 벤처투자 프로세스

구 분	단 계	내 용
의무 적용 사항	❶ ESG거버넌스	○ **ESG정책 수립 및ESG 투자심사 관련 심의기구 설치·운영**
	❷ 네거티브 스크리닝	○ **ESG 기준에 부정적으로 평가**되는 기업을 **투자대상에서 배제** - 전통적인 투자배제 대상'과 함께 화석연료 생산, 인권탄압, 열악한 노동환경과 같이 인류의 존엄한 생존과 반대되는 행위를 하는 기업 포함 • 사행산업 등 경제질서 및 미풍양속에 현저히 어긋나는 업종(마약, 유흥주점, 사행시설 관리 및 운영 등)에 투자
	❸ 이에스지(ESG) 실사	○ **투자 검토기업을 기업 성장단계별/산업별로 분류** ○ 투자 검토기업의 ESG 위험과 기회를 파악하기 위해 **별도 ESG 체크리스트**(표준 체크리스트 배포 예정)를 활용하여 **실사결과 분석** - 투자 검토기업의 성장단계/산업별 특성을 고려하여 점검표(체크리스트) 항목을 추가하거나 수정(항목별 50% 범위내) 제안 가능
권고 사항	❹ 투자보고서	○ **ESG 투자심사 관련 심의기구**는 투자심사 시 'ESG 심사보고서' 내 ESG 평가 항목을 참고하여 **ESG 적격 투자대상기업을 선별**
	❺ 투자계약서	○ ESG 투자에 필요한 내용을 투자계약서에 반영
	❻ 피투자기업관여	○ **ESG 경영관여**는 **ESG KPIs 설정 및 관리**, 마일스톤에 따른 **인센티브 부여 등**으로 이루어짐
	❼ 모니터링 및 보고	○ 벤처투자자(GP)는 포트폴리오 기업의 **ESG 성과를 모니터링**하고 **출자자(LP)에게 보고(GP와 합의된 범위 내 주기적 보고 가능)**
	❽ 이에스지(ESG) 평가	○ 투자기간 동안 포트폴리오 기업의 주요 ESG 리스크 및 기회를 파악하여 **ESG요소를 얼마나 향상시켰는지 측정**하여 평가

출처 : 「이에스지(ESG) 벤처투자 표준 지침(가이드라인)」마련해
시범운용 실시(중소벤처기업부 보도자료, 2022.07.14)

위 분류 체계를 보면 비즈니스 모델을 확립하기 전 단계를 Level 1, 확립한 단계를 Level 2, 성장 단계에 들어선 것을 Level 3로 나누었는데, 여기에는 기업 가치도 중요하지만 법적인 부분들이 갈리는 상시근로자 5인 이상인지 여부, 근로자 수도 하나의 중요한 지표가 된다 할 것이다.

공급망 실사를 나가보면 근로계약서, 취업규칙을 안 가지고 있거나, 만들고 있는 중이라고 하는 경우가 많이 있는데 5인 이상 사업장의 경우 반드시 취업규칙을 가지고 있어야 한다. 또한 다양성에서 인권 관련 교육과 방침이 있는지 여부를 공동으로 보고해야 하고, 좀 더 나아가 여성 관리자가 남성에 비해 얼마나 비중을 차지하고 있는지, 장애인 직원의 비율이 얼마나 되는지, 인사 평가 기준 등의 공정성 담보방안, 정보보안 규정과 교육 등과 담당지 지정 여부, 소비자 보호 규정과 전담 조직 여부, 지역 사회 공헌 프로그램 등에 대해서도 준비가 되어 있어야 한다. 비록 힘들지만 ESG경영이 힘들다고 안하게 되면 다른 스타트업보다 뒤처지게 되므로 「이에스지(ESG) 벤처투자 실사 점검표(체크리스트)」에 따라 의무적으로 준수해야 하는 사항부터 하나씩 풀어 나가야 할 것이다 <그림12>.

출처 : 「이에스지(ESG) 벤처투자 표준 지침(가이드라인)」마련해
시범운용 실시(중소벤처기업부 보도자료, 2022.07.14)

<그림12> 이에스지(ESG) 벤처투자 실사 점검표(체크리스트)

※ 참고 : 운용사의 중점 투자 분야(기업 성장단계별·산업별)의 투자 검토기업 분류 기준 등을 고려하여 추가 또는 이에스지(ESG) 영역별 50% 범위 내에서 수정하여 제안 가능

이에스지(ESG)실사 점검표(체크리스트)							
구분	기업 성장 단계	이에스지(ESG) 평가 세부 기준		이에스지(ESG) 평가 결과			
		항목	내용	Y	N	해당 없음	개선 가능성 (Y/N)
환경 (Environment)	Level 1	환경 경영 목표	단기·장기 사업목표 중 환경 관련 목표가 있는가?				
		친환경 혁신	기존 제품·서비스 대비 환경성을 개선한 제품·서비스를 제공하고 있거나 개발할 계획이 있는가?				
	Level 2	환경 관리	환경 친화적인 생산 절차를 갖추고 있는가?				
			사업장의 전력 및 용수 사용량을 측정할 수 있는가?				
			전력 및 용수 사용량의 연간 증감 (과거 3년치)* * 유틸리티 사용량의 경우 매출 증감에 연동된다는 점을 고려해야 함	( ) kW, ( ) m³			
	Level 3	환경 성과	환경 친화적인 자원을 활용하고 있는가?				
			폐기물 발생 최소화를 위한 노력을 하고 있는가?				
			재생에너지 사용 혹은 용수/폐기물 재활용을 하고 있는가?				
		공급망	제품을 생산할 때, 친환경 자재를 사용하고 있는가?				
		규제 위험	향후 기업의 성장에 따라 적용될 환경규제를 알고 있는가?				
			환경위험 대응을 위한 내부시스템이 구축되어 있는가?				
			환경성과평가 및 감사를 실행하고 있는가?				
		온실 가스/ 기후 변화	온실가스 배출 감축을 위한 노력을 하고 있는가?				
			기후변화가 회사에 미치는 영향을 분석하는가?				
			기후변화 대응하기 위해 어떤 전략이 있는가?	(예) 대체육 개발			

이에스지(ESG)실사 점검표(체크리스트)								
구분	기업 성장 단계			이에스지(ESG) 평가 세부 기준		이에스지(ESG) 평가 결과		
				항목	내용	Y	N	해당 없음	개선 가능성 (Y/N)
사회 (Social)	Level 1	Level 2	Level 3	인권	근로자에 대한 인권침해가 발생하지 않도록 예방조치를 취하고 있는가? (예: 직장 내 성희롱 등에 대한 징계 규정 마련, 권리 구제 절차 수립 등)				
				근로 조건	근로자의 근로조건은 적법한가?				
					근로자와 근로계약서를 작성하고 최저임금 이상의 임금을 지불하고 있는가?				
					근무만족도 제고, 인력개발 등을 위한 교육 및 훈련 프로그램이 존재하는가?				
				다양성	전체 직원 중 여성과 장애인의 비율은 ?				
					차별받지 않을 권리가 보장되는가?				
				정보 보안	회사의 데이터가 물리적·기술적 위험으로 부터 안전하게 관리되고 있는가? (예: Back up체계 구축 및 물리적 접근 차단)				
				보건 안전	근로자의 보건 및 안전이 보장되는 근무환경인가?				
					작업장 위험요인을 파악하고 근로자의 보건 안전을 위한 노력을 하고 있는가? (예: 화재 대피 훈련, 업무 중 휴식 장려 등)				
				소비자 보호	고객정보 보호를 위한 관리 체계를 갖추고 있는가? (예: 정보보안규정 수립, 정보보안담당자 확보, 정보보호 관련 인증 획득 등)				
					서비스·제품 디자인 시 고객의 건강과 안전을 고려하였는가? (예: 서비스 사용시간 제한, 청소년 인지 영향 고려 등)				
				지역 사회	사회적 책임을 실천하기 위한 내부 프로그램이 존재하는가?				
					지역사회 기여하는 활동을 하고 있는가? (예: 기부, 봉사활동 참여, 보유기술을 활용한 사회 활동 등)				
				공급망	공급망 선정 시 이에스지(ESG)를 고려하고 있는가? (예: 근로조건, 안전관리, 강제 노동 등)				

이에스지(ESG)실사 점검표(체크리스트)							
		이에스지(ESG) 평가 세부 기준		이에스지(ESG) 평가 결과			
구분	기업 성장 단계	항목	내용	Y	N	해당 없음	개선 가능성 (Y/N)
지배구조 (Governance)			이해관계인 등과 부당하거나 불공정한 거래가 존재하는가?				
	Level 1	창업자	창업자의 창업 배경과 비전에 환경과 사회에 대한 고려가 담겨 있는가?				
			창업자가 과거 비윤리적인 행동으로 문제 된 적이 있는가?				
	Level 2	자금 관리	자금 집행과 관리주체가 분리되어 있는가?				
		내부 감사	감사인의 독립성이 보장되어 있으며, 연 2회 이상 내부 감사를 실시하는가?				
		준법 경영/ 법률 준수	기업과 관련된 법률을 주기적으로 점검하고 이를 회사 구성원에게 알리는 프로세스가 있는가?				
			회사가 법률 위반으로 제제를 받거나 과징금을 부과받은 적이 있는가?				
	Level 3	윤리 경영	윤리규범을 가지고 있고 직원들에게 이를 알리고 있는가?				
			부패방지를 위한 정책 또는 절차가 존재하는가?				
		이사회	이사회가 기업의 경영의사결정 기능과 경영감독 기능을 충족하고 있는가?				
			이사회는 대표로부터 독립적인가?				
			사외이사는 독립적인가?				
			이사회 개최 주기는 적정한가?				
		주주	투자자의 사전협의와 투자계약서 상의 사전동의 항목을 위반한 사항이 있는가?				
			주주의 권리를 충분히 보장하고 있는가?				
			주주간담회를 연 2회 이상 주기적으로 개최하고 있는가?				
			회사의 정보를 주주에게 투명하게 공개하고 있는가?				

중소기업/스타트업을 위한
인사노무 ESG 비밀노트

제2장

입사 단계

제2장 입사 단계

근로계약

CHAPTER 1

CHAPTER 1
근로계약

　근로계약서는 사용자와 근로자가 근로계약을 체결하면서 임금, 근로시간, 휴일, 연차 유급휴가 등의 근로조건을 구체적으로 기재한 문서를 의미한다. 회사에 입사하게 되면 근로계약서를 작성하고 근무를 시작하는 것이 원칙이며, 회사는 근로자에게 근로계약서를 교부하여야 한다. 근로계약을 체결하는 경우와 변경하는 경우 중요한 근로조건을 서면으로 명시하도록 하고 있으며, 근로계약서를 작성하는 경우 누락되거나 잘못된 내용이 없는지 꼼꼼하게 살펴보아야 할 것이다.

근로계약서 작성 및 교부

* * *

회사에 입사를 하면 가장 먼저하는 것이 근로계약서를 작성하는 것이다. 근로계약서를 작성하지 않고 근로를 시킬 경우 회사는 법률적 책임을 부담해야 한다. 근로계약은 회사와 근로자가 체결하는 계약으로서 서면 계약이나 구두 계약 모두 유효한 계약으로 인정된다. 다만, 구두로 근로계약을 체결한 경우 근로조건과 관련한 회사와의 분쟁이나 다툼이 발생한 경우 입증이 어려울 수 있다. 그래서 근로기준법 제17조[10]과 기간제 및 단시간근로자 보호 등에 관

---

10) **근로기준법 제17조(근로조건의 명시)**
① 사용자는 근로계약을 체결할 때에 근로자에게 다음 각 호의 사항을 명시하여야 한다. 근로계약 체결 후 다음 각 호의 사항을 변경하는 경우에도 또한 같다.
  1. 임금
  2. 소정근로시간
  3. 제55조에 따른 휴일
  4. 제60조에 따른 연차 유급휴가
  5. 그 밖에 대통령령으로 정하는 근로조건

한 법률 제17조[11])에서는 서면 근로계약에 관하여 정하고 있다.

근로계약서에 반드시 포함할 내용

근로계약서는 사용자와 근로자가 근로계약을 체결하면서 임금, 근로시간, 휴일, 연차유급휴가 등의 근로조건을 구체적으로 기재한 문서를 의미한다. 근로계약서에는 ① 임금, ② 근로시간, ③ 휴일, ④ 연차유급휴가 등에 대한 내용이 구체적으로 작성되어야 한다.

---

② 사용자는 제1항제1호와 관련한 임금의 구성항목 · 계산방법 · 지급방법 및 제2호부터 제4호까지의 사항이 명시된 서면(「전자문서 및 전자거래 기본법」 제2조제1호에 따른 전자문서를 포함한다)을 근로자에게 교부하여야 한다. 다만, 본문에 따른 사항이 단체협약 또는 취업규칙의 변경 등 대통령령으로 정하는 사유로 인하여 변경되는 경우에는 근로자의 요구가 있으면 그 근로자에게 교부하여야 한다.

11) 기간제 및 단시간근로자 보호 등에 관한 법률 제17조(근로조건의 서면명시)
사용자는 기간제근로자 또는 단시간근로자와 근로계약을 체결하는 때에는 다음 각 호의 모든 사항을 서면으로 명시하여야 한다. 다만, 제6호는 단시간근로자에 한정한다.
1. 근로계약기간에 관한 사항
2. 근로시간 · 휴게에 관한 사항
3. 임금의 구성항목 · 계산방법 및 지불방법에 관한 사항
4. 휴일 · 휴가에 관한 사항
5. 취업의 장소와 종사하여야 할 업무에 관한 사항
6. 근로일 및 근로일별 근로시간

임금

임금은 구성 항목 · 계산 방법 · 지급 방법을 명시해야 하는데, 구성항목에는 기본급, 주휴수당, 연장 · 야간 · 휴일 근로수당 등이 포함되며, 임금이 산출된 계산방법과 임금을 지급하는 방법을 근로자 또는 제3자가 보더라도 이해할 수 있도록 구체적으로 작성해야 한다.

근로시간

근로시간은 시업시간과 종업시각을 표시해야 하는데 1일 소정근로시간은 8시간, 1주 40시간까지 가능하며, 연장근로는 5인 이상 사업장의 경우 1주 12시간까지 가능하지만, 5인 미만 사업장은 현장근로의 제한이 없다.

또한 1일 4시간 이상 8시간 미만 근무시 30분 이상의 휴게시간을 주어야 하고, 1일 8시간 이상의 휴게시간을 주어야 한다.

휴일

휴일은 주휴일, 근로자의 날과 법정공휴일이 있다.

주휴일은 1주 15시간 이상 근무한 근로자에게 1일의 유급휴일을 주는 것이다. 1일은 일하지 않아도 일당으로서 주휴수당을 주는 것이다. 일반적으로 대부분 일요일을 주휴일로 하고 있다.

근로자의 날은 매년 5월 1일로 유급휴일에 해당한다. 주휴일과 유급휴일은 5인 미만 사업장에도 적용된다.

국경일과 대체공휴일, 임시공휴일 등 법정공휴일은 5인 이상 사업장의 경우에도 유급휴일에 해당하나, 5인 미만 사업장의 경우 적용되지 않는다.

연차유급휴가

연차유급휴가는 1년간 8할 이상 출근한 근로자에게 15일의 유급휴가를 주어야 하고, 계속근로연수가 1년 미만인 근로자에게 1개월간 개근시 1일의 유급휴가를 주어야 한다. 계속 근로한 근로자에 대하여 일정한 기간 유급으로 근로의무가 면제되는 날로서 5인 미만 사업장의 경우 적용되지 않는다.

기타

그 외에도 근무 장소, 종사 업무 및 취업규칙에 포함되는 내용 등은 반드시 문서로 명시할 의무는 없으나, 근로계약서 작성시 포함시키는 것이 좋다.

또한 근로기간의 정함이 있는 기간제근로자의 경우 근로계약 기간을 명시하여야 하고, 근로시간이 짧거나 근무 요일이 다른 단시간근로자는 근로일과 근로일별 근로시간, 즉 시업 시각과 종업 시각 및 휴게 시간을 구체적으로 명시하여야 한다<표2>.

<표 2> 근로조건 명시의무 비교

구분	근로자	계약직 및 단시간근로자
명시대상	임금	근로계약기간
	근무하기로 정한 시간	임금
	주휴일	근로시간 및 휴게시간
	연차유급휴가	휴일 및 휴가
	근무장소와 담당업무	근무장소와 담당업무
	취업규칙의 필요적 기재사항	근로일 및 근로일별 근로시간
서면명시 대상	임금	위와 동일
	근무하기로 정한 시간	
	주휴일	
	연차유급휴가	
적용회사	근로자 1인 이상	근로자 5인 이상
위반시 벌칙	500만원 이하의 벌금	500만원 이하의 과태료

근로계약서의 작성 및 교부

근로기준법과 기간제 및 단시간근로자 보호 등에 관한 법률에서는 근로계약을 체결할 때와 변경할 때 근로자에 대한 근로조건 명시의무를 정하고 있고, 명시 대상 근로조건 중에서 중요한 사항은 서면으로 명시하도록 정하고 있다.

근로조건의 서면 명시 방법은 근로계약서를 작성하는 방법, 전자문서 및 전자거래기본법에 따른 전자문서를 작성하는 방법, 근로자가 정한 전자우편에 등재하는 방법, 근로자에게 완전히 개방된 회사 홈페이지 등에 등재하는 방법, 회사의 취업규칙이나 관련 서류에 명시해 언제든지 열람할 수 있게 하는 방법 등이 있으나 근로계약 사항을 명확히 하고 향후 분쟁을 예방하는 차원에서 근로자 개인별로 근로계약서를 작성하는 것이 일반적이다.

근로계약서 작성과 관련하여 중요한 것은 문서제목만 '근로계약서'라고 썼다고 해서 법률적 의무사항인 근로조건의 서면 명시 의무를 이행한 것은 아니다. 근로계약서를 작성하거나 변경할 때 근로기준법과 기간제 및 단시간근로자 보호 등에 관한 법률에서 정하고 있는 서면 명시 사항들이 하나도 누락되지 않고 반드시 포함되어야 한다.

계약서는 보통 계약 당사자 수만큼 작성하여 각각 나누어 가지는 것이기 때문에 근로계약서의 경우 2부를 작성하여 회사와 근로자가 각각 1부씩 나누어 가져야 한다. 일반적인 계약의 경우 계약서 작성으로 계약이 마무리되지만, 근로기준법에서는 근로자가 요구하지 않더라도 회사가 근로계약서 등을 교부하도록 하고 있다.

교부 대상은 근로계약 체결 및 변경시 서면으로 명시해야하는 사항들이다. 교부 방법은 근로계약서를 교부하거나, 회사가 증명하는 문서를 제공하거나, 전자문서 및 전자거래기본법에 따른 전자문서를 교부하는 방식이다. 다만 회사 홈페이지에 등재하거나 관련 문건을 열람하는 것만으로는 교부를 한 것으로 보지 않는다.

근로계약서 중 임금, 근로시간, 휴일, 연차 유급휴가, 취업장소와 종사하여야 할 업무에 관한 사항, 기숙사가 있는 경우 기숙사 규칙에서 정한 사항 등이 변경될 경우 근로계약서를 다시 작성하고 근로자에게 서면으로 교부해야만 한다.

이러한 내용이 아닌 근로계약서의 내용이 변경되는 경우라면 근로계약서를 다시 작성하고 교부할 필요는 없다.

근로계약서를 작성하지 않거나 근로자에게 제공하지 않는 경우 500만원 이하의 벌금(기간제·단시간근로자의 경우 500만원 이하의 과태료)이 부과될 수 있는데 근로계약서는 불미스러운 갈등이 발생했을 때 이를 판단하는 가장 중요한 기초자료가 되기 때문에 근로자는 반드시 근로계약서를 작성하여야 한다.

근로기준법 등에서 근로계약서의 작성·교부 시기에 대하여 명확하게 법령상 정한 사항은 없다. 다만, 대부분의 법률행위가 계약이 이행되기 이전에 미리 계약조건이 확정되어야 하므로 근로계약서는 근로자가 업무에 종사하기 전에 작성·교부해야 하는 것으로 해석한다. 사전에 근로계약서를 작성·교부하지 않은 상태에서 근로자가 일을 하다가 며칠 후에 퇴사를 한다면 사용자는 근로계약서 교부의무를 준수하지 못한 것이 되어 500만원 이하의 과태료가 부과될 수 있다<그림13>

.<그림13> 근로계약서 작성 및 교부

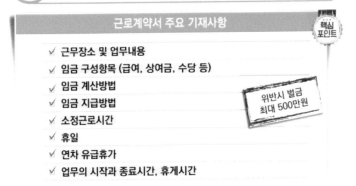

출처 : 소규모 사업장을 위한 7가지 노른자 노동법(고용노동부)

근로계약서의 보관

＊ ＊ ＊

근로계약서는 근로자와 분쟁이 발생할 경우 중요한 기초자료로
서 이를 분실할 경우 분쟁에서 정당하게 대응하기 어려울 수있으
므로 반드시 보관하여야 한다. 근로기준법 제42조12)에 따르면 사

---

12) **근로기준법 제42조(계약 서류의 보존)**
사용자는 근로자 명부와 대통령령으로 정하는 근로계약에 관한 중요
한 서류를 3년간 보존하여야 한다.

근로기준법 시행령 제22조(보존 대상 서류 등)
①법 제42조에서 "대통령령으로 정하는 근로계약에 관한 중요한 서
류"란 다음 각 호의 서류를 말한다.
1. 근로계약서
2. 임금대장
3. 임금의 결정·지급방법과 임금계산의 기초에 관한 서류
4. 고용·해고·퇴직에 관한 서류
5. 승급·감급에 관한 서류
6. 휴가에 관한 서류
7. 삭제 <2014. 12. 9.>
8. 법 제51조제2항, 제51조의2제1항, 같은 조 제2항 단서, 같은 조

용자는 근로자 명부와 근로계약서, 임금대장, 임금의 결정 · 지급방법과 임금계산의 기초에 관한 서류, 고용 · 해고 ·퇴직에 관한 서류, 승급 · 감급에 관한 서류, 휴가에 관한 서류, 연소자 증명서 등 근로계약에 관한 중요한 서류를 3년간 보관하여야 한다고 규정하고 있으며, 이를 보관하지 않는 경우 500만원 이하의 과태료가 부과될 수 있다.

근로계약서를 작성한 후 스마트폰을 활용하여 촬영하고 이메일로 보낸다면 근로계약서를 쉽게 보관할 수 있고, 동시에 근로자에게 교부의무를 이행하였음을 증명할 수도 있다.

근로계약서를 분실한 경우에는 근로자의 동의를 구하고 근로작 보관중인 근로계약서를 복사하거나, 근로계약서를 다시 작성하여 근로자의 서명을 받아두는 것이 좋다<그림14>.

제5항 단서, 제52조제1항, 같은 조 제2항제1호 단서, 제53조제3항, 제55조제2항 단서, 제57조, 제58조제2항 · 제3항, 제59조제1항 및 제62조에 따른 서면 합의 서류
9. 법 제66조에 따른 연소자의 증명에 관한 서류

<그림14> 근로계약에 대한 서류 보존

근로계약에 대한 서류 보존

근로기준법 제42조

사용자는 근로자 명부와 대통령령으로 정하는
근로계약에 관한 중요한 서류를 3년간 보존 **해야함**

위반 시 500만원
이하의 과태료

보존해야
할 주요서류

- 근로자 명부
- 근로계약서
- 임금의 결정·지급방법과 임금계산의 기초에 관한 서류·임금대장
- 고용·해고·퇴직에 관한 서류
- 승급·감급에 관한 서류
- 휴가에 관한 서류
- 연소자 증명서 (법 제66조) 등

출처 : 소규모 사업장을 위한 7가지 노른자 노동법(고용노동부)

외국인근로자의 근로계약

CHAPTER 2

CHAPTER 2
외국인근로자의 근로계약

대한민국의 국적을 가지지 않은 자로서 대한민국에 소재하고 있는 사업 또는 사업장에서 임금을 목적으로 근로를 제공하거나 제공하려고 하는 자를 외국인근로자라고 한다. 1990년대 초반부터 외국인 산업연수생제도가 생긴 이후 현재까지 대한민국 내 외국인 노동자의 수는 지속적으로 증가하고 있으며. 외국인 그로자 증가로 인한 사회문제도 증가하고 있는 바, 외국인근로자와의 근로계약 체결시 유의사항을 살펴보기로 한다.13)

---

13) 인사 · 노무 ESG 실천 매뉴얼 참조

외국인근로자의 개념

✳ ✳ ✳

외국인이 우리나라에 체류할 때에는 각자의 사회적 활동의 범위나 그 신분에 따라 체류자격이 주어지게 된다. 예를 들어, 국내에서 선교의 목적으로 온 외국인에 대하여는 "종교(D-6)"의 체류자격이 주어지며, 국내에서 외국어를 가르치기 위한 목적으로 체류하려는 외국인에 대하여는 "회화지도(E-2)"의 체류자격이 주어지게된다. 이런 식으로 외국인에게 부여할 수 있는 체류자격은 총 35개로 구분되어 있으며 이는 대한민국에 체류하는 외국인을 관리하기 위한 목적을 가지고 있다.

출입국관리법 제18조14)에 따르면 우리나라에서 외국인을 채용하

---

14) 출입국관리법 제18조(외국인 고용의 제한)
  ① 외국인이 대한민국에서 취업하려면 대통령령으로 정하는 바에 따라 취업활동을 할 수 있는 체류자격을 받아야 한다.
  ② 제1항에 따른 체류자격을 가진 외국인은 지정된 근무처가 아닌 곳에서 근무하여서는 아니 된다.

는 경우 대한민국에서 취업활동을 할 수 있는 체류자격을 받은 외국인만 채용해야 한다. 취업활동을 할 수 있는 체류자격이 있는 비자의 종류는 제한적으로 정해져 있는데, 일반적으로 단기취업(C-4), 교수, 연구, 기술지도 등(E-1 ~ E-10), 방문 취업(H-2) 비자를 받은 외국인에게 취업활동을 할 수 있는 체류자격이 있다. 그 외에도 유학비자(D-2, D4-1, D4-7)의 경우 아르바이트에 한해 취업이 가능하고, 일부 거주(F-2)비자를 받은 자나 결혼이민(F-6), 재외동포(F-4)등에게도 예외적으로 체류자격이 인정된다.

한편, 비자의 종류에 따라 취업이 가능한 업종도 달라지는데, 수요가 많은 단순노무의 경우 비전문취업(E-9), 방문취업(H-2) 등의

---

③ 누구든지 제1항에 따른 체류자격을 가지지 아니한 사람을 고용하여서는 아니 된다.
④ 누구든지 제1항에 따른 체류자격을 가지지 아니한 사람의 고용을 알선하거나 권유하여서는 아니 된다.
⑤ 누구든지 제1항에 따른 체류자격을 가지지 아니한 사람의 고용을 알선할 목적으로 그를 자기 지배하에 두는 행위를 하여서는 아니 된다.

출입국관리법 제94조(벌칙)
다음 각 호의 어느 하나에 해당하는 사람은 3년 이하의 징역 또는 3천만원 이하의 벌금에 처한다.
8. 제18조제1항을 위반하여 취업활동을 할 수 있는 체류자격을 받지 아니하고 취업활동을 한 사람
9. 제18조제3항을 위반하여 취업활동을 할 수 있는 체류자격을 가지지 아니한 사람을 고용한 사람
10. 제18조제4항을 위반하여 취업활동을 할 수 있는 체류자격을 가지지 아니한 외국인의 고용을 업으로 알선·권유한 사람
11. 제18조제5항을 위반하여 체류자격을 가지지 아니한 외국인을 자기 지배하에 두는 행위를 한 사람

비자가 있어야 한다. 재외동포(F-4) 비자의 경우 단순노무나 유흥주점 등의 분야에서 취업이 불가능하다.

체류자격 없이 취업활동을 한 외국인이나 체류자격 없는 외국인을 고용한 사업주, 이를 알선, 권유한 사람은 모두 3년 이하의 징역 또는 3천만원 이하의 벌금에 처할 수 있다.

외국인 근로자의 채용 (제조업)

＊＊＊

제조업이나 공장 생산라인에 있어서 외국인 근로자의 채용을 살펴보면, 제조업이나 공장 생산라인과 같은 단순노무에 고용할 수 있는 외국인은 비전문취업(E-9)이나 방문취업(H-2)비자가 있어야 한다 생산직 근로자로 주로 채용하는 베트남, 태국, 인도네시아, 필리핀 등의 외국인은 주로 비전문취업(E-9)비자를 취득하여 입국한다.

외국인근로자의 고용 등에 관한 법률 제8조15)에 따르면 비전문

---

15) 외국인근로자의 고용 등에 관한 법률 제8조(외국인근로자 고용허가)
  ① 제6조제1항에 따라 내국인 구인 신청을 한 사용자는 같은 조 제2항에 따른 직업소개를 받고도 인력을 채용하지 못한 경우에는 고용노동부령으로 정하는 바에 따라 직업안정기관의 장에게 외국인근로자 고용허가를 신청하여야 한다.
  ② 제1항에 따른 고용허가 신청의 유효기간은 3개월로 하되, 일시적인 경영악화 등으로 신규 근로자를 채용할 수 없는 경우 등에는 대통령령으로 정하는 바에 따라 1회에 한정하여 고용허가 신청의 효력을

취업(E-9)비자의 경우 사용자가 내국인근로자를 구하기 위하여 노력했음에도 불구하고 내국인근로자의 전부 또는 일부를 채용하지 못한 경우에만 고용허가를 신청할 수 있다. 즉 ① 내국인 구인노력, ② 고용허가서 신청·발급, ③ 근로계약 체결, ④ 사증발급인정서 발급, ⑤ 외국인근로자 입국·취업교육의 순서로 진행된다.

내국인 구인노력

사업주는 우선적으로 내국인을 고용하기 위한 구인노력을 해야 한다. 구인노력을 위해서는 일반적으로 관할 고용센터나 워크넷(www.work.go.kr) 사이트에서 구인신청을 하고 14일(농축산업, 어업 등은 7일)이 경과해야 한다.

고용허가서 신청·발급

내국인을 구하지 못한 경우 비로소 외국인근로자를 채용할 수 있다. 사업주는 관할 고용센터에 외국인근로자 고용허가서 발급신청서를 제출하여 고용허가서를 발급받는다. 사업주는 이러한 외국인근로자 고용업무를 대행기관에 대행하게 할 수 있다. 대행기관에

연장할 수 있다.
③ 직업안정기관의 장은 제1항에 따른 신청을 받으면 외국인근로자 도입 업종 및 규모 등 대통령령으로 정하는 요건을 갖춘 사용자에게 제7조제1항에 따른 외국인구직자 명부에 등록된 사람 중에서 적격자를 추천하여야 한다.
④ 직업안정기관의 장은 제3항에 따라 추천된 적격자를 선정한 사용자에게는 지체 없이 고용허가를 하고, 선정된 외국인근로자의 성명 등을 적은 외국인근로자 고용허가서를 발급하여야 한다.

는 중소기업중앙회(제조업, 서비스업), 농협중앙회(농축산업), 수협중앙회(어업, 냉장 · 냉동창고업), 대한건설협회(건설업) 등이 있다.

근로계약 체결

사업주는 근로계약의 체결을 한국산업인력공단에 대행하게 할 수 있다. 한국산업인력공단에서 근로자의 출신국 송출기관에 근로계약서를 전송하고 근로계약을 체결한다. 근로계약이 체결되면 공단에서는 필요서류 등을 안내한다.

사증발급인정서 발급

사업주 또는 대행기관은 관할 출입국관리사무소나 비자포털(www.visa.go.kr)을 통해 사증발급인정서를 발급한다.

외국인근로자 입국 취업 · 교육

한국산업인력공단은 근로자 입국일 7~10일 전에 입국일자 및 근로자 명단을 사업주에게 통보한다. 근로자는 입국 후 취업교육(3일)을 받고 교육이 종료된 후 사업장으로 인도된다.

제조업에서 외국인근로자 고용허가에 따라 외국인을 고용하기 위해서는 고용보험에 가입된 내국인 근로자 1명 이상 10명 이하인 경우 내국인 근로자 외에 최대 10명까지 외국인근로자 고용허가를 받을 수 있다<그림15>.

외국인근로자를 채용할 때는 고용노동부령으로 정하는 외국인표준근로계약서를 작성해야 하며, 근로계약기간은 최대 3년, 1회에 한해 1년 10개월까지 연장할 수 있다.

<그림15> 제조업에서 내국인피보험자수에 따른 외국인근로자 고용 허용인원

광업 및 제조업

내국인피보험자수	총 고용허용인원
1명 이상 10명 이하	내국인 피보험자수 + 10명
11명 이상 50명 이하	30명 (단, 내국인 피보험자 수의 2배를 초과하지 못함)
51명 이상 100명 이하	35명
101명 이상 150명 이하	40명
151명 이상 200명 이하	50명
201명 이상 300명 이하	60명
301명 이상	80명

※ 내국인 고용기회 보호를 위해 내국인(3개월 평균)이 1인 이상 고용되어 있어야 함
※뿌리산업(뿌리산업진흥센터에서 발급하는 뿌리산업증명서 제출 시)은 총 고용허용인원의 20%까지 추가 고용이 허용됨

출처 : 고용노동부 외국인고용관리시스템(www.eps.go.kr)

외국인 근로자의 채용 (서비스업)

* * *

일반음식점 등 서비스업에서 외국인 근로자를 채용하는 경우를 살펴보자. 일반음식점 등 서비스업에서 외국인근로자를 고용하려면 외국인은 방문 취업(H-2)비자가 있어야 한다. 방문취업(H-2)비자는 조선족, 고려인 등 외국국적을 가지고 있는 동포에게 발급된다.

외국인근로자의 고용 등에 관한 법률 제12조16)에 따르면 사업

---

16) **외국인근로자의 고용 등에 관한 법률 제12조(외국인근로자 고용의 특례)**
  ① 다음 각 호의 어느 하나에 해당하는 사업 또는 사업장의 사용자는 제3항에 따른 특례고용가능확인을 받은 후 대통령령으로 정하는 사증을 발급받고 입국한 외국인으로서 국내에서 취업하려는 사람을 고용할 수 있다. 이 경우 근로계약의 체결에 관하여는 제9조를 준용한다.
  1. 건설업으로서 정책위원회가 일용근로자 노동시장의 현황, 내국인근로자 고용기회의 침해 여부 및 사업장 규모 등을 고려하여 정하는 사업 또는 사업장
  2. 서비스업, 제조업, 농업, 어업 또는 광업으로서 정책위원회가 산업별 특성을 고려하여 정하는 사업 또는 사업장

주는 특례 고용 가능 확인서를 발급받아야 한다. 사업주가 특례 고용 가능 확인서를 발급받기 위해서는 ① 사업주는 내국인 구인노력을 해야 한다. 비전문취업(E-9)과 마찬가지로 관할 고용센터나 워크넷(www.work.go.kr) 사이트에서 구인신청을 하고 14일(농축산업, 어업 등은 7일)이 경과해야 한다. ② 내국인 구인노력을 다한 사업주는 관할고용센터에 특례 고용 허가 신청서를 제출하고, 특례 고용 가능 확인서를 발급받는다.

　서비스업에서 특례 고용 가능 확인을 받은 5인 이하 사업장은 외국인근로자를 최대 4명까지 고용할 수 있다. 다만, 개인 간병인이나 가구 내 고용활동은 가구당 1인으로 한정된다<그림 16>.

---

② 제1항에 따른 외국인으로서 제1항 각 호의 어느 하나에 해당하는 사업 또는 사업장에 취업하려는 사람은 외국인 취업교육을 받은 후에 직업안정기관의 장에게 구직 신청을 하여야 하고, 고용노동부장관은 이에 대하여 외국인구직자 명부를 작성·관리하여야 한다.

③ 제6조제1항에 따라 내국인 구인 신청을 한 사용자는 같은 조 제2항에 따라 직업안정기관의 장의 직업소개를 받고도 인력을 채용하지 못한 경우에는 고용노동부령으로 정하는 바에 따라 직업안정기관의 장에게 특례고용가능확인을 신청할 수 있다. 이 경우 직업안정기관의 장은 외국인근로자의 도입 업종 및 규모 등 대통령령으로 정하는 요건을 갖춘 사용자에게 특례고용가능확인을 하여야 한다.

④ 제3항에 따라 특례고용가능확인을 받은 사용자는 제2항에 따른 외국인구직자 명부에 등록된 사람 중에서 채용하여야 하고, 외국인근로자가 근로를 시작하면 고용노동부령으로 정하는 바에 따라 직업안정기관의 장에게 신고하여야 한다.

⑤ 특례고용가능확인의 유효기간은 3년으로 한다. 다만, 제1항제1호에 해당하는 사업 또는 사업장으로서 공사기간이 3년보다 짧은 경우에는 그 기간으로 한다.

⑥ 직업안정기관의 장이 제3항에 따라 특례고용가능확인을 한 경우에는 대통령령으로 정하는 바에 따라 해당 사용자에게 특례고용가능확인서를 발급하여야 한다.

특례 고용 가능 확인서를 발급받고 방문취업(H-2)비자가 있는 외국인을 채용한 경우, 근로자가 근로를 개시하면 14일 이내에 관할 고용센터에 신고해야 한다. 신고는 직접방문, 팩스, 온라인으로 가능하며, 구비서류로 외국인근로자 근로개시 신고서, 외국인표준근로계약서, 외국인등록증, 여권, 사업자등록증을 제출하여야 한다.

<그림16> 서비스업에서 내국인피보험자수에 따른 외국인근로자 고용 허용인원

서비스업

내국인피보험자수	총 고용허용인원	
	일반	택배
5명 이하	4명	12명
6명 이상 10명 이하	6명	18명
11명 이상 15명 이하	10명	30명
16명 이상 20명 이하	14명	42명
21명 이상 100명 이하	20명	60명
101명 이상	25명	75명

※ 개인 간병인, 가구 내 고용활동은 가구당 1인으로 한정
※ 서비스업 중 음식점업의 경우에는 내국인 피보험자 6~10명시 특례외국인근로자를 8명까지 고용가능
※ 택배분야 허용업종은 물류터미널 운영업, 육상화물취급업에 해당

출처 : 고용노동부 외국인고용관리시스템(www.eps.go.kr)

외국인 유학생의 채용

　외국인 유학생을 채용하는 경우를 살펴보면, 유학비자(D-2)나 어학연수비자(D-4)를 발급받은 외국인유학생의 경우 관할 출입국 관리사무소 또는 출장소장에게 최장 1년간의 시간제 취업허가를 받아 아르바이트를 할 수 있다. 다만, 제조업, 건설업 취업은 불가 능하며, 통번역, 음식점, 사무보조 등 단순노무 아르바이트는 가능하다.

　외국인유학생은 거주지역 기준 1시간 이내 거리 사업장에서만 취업활동이 가능하며 근로시간은 월요일~금요일에는 최대 20시간 까지 가능하고, 공휴일이나 방학에는 제한이 없다.

　취업을 원하는 유학생은 사업주와 외국인표준근로계약서를 작성 하고, 소속대학 유학담당자의 확인을 받고(시간제취업확인서 작성), 관할 출입국관리사무소에 체류자격외활동허가를 신청하여 허가를 받으면 된다.

시간제 취업허가의 신고의무는 외국인 유학생 본인에게 있지만, 허가없이 불법 채용을 한 경우 외국인 본인은 물론 사업주도 모두 처벌대상이 된다. 따라서 외국인 유학생을 채용할 때는 사전에 취업허가 여부를 반드시 확인 후 진행하여야 한다.

유학비자(D-2)를 발급받은 유학생은 최근 이수학기 기준 출석률이 70%이하이거나 평균학점이 2.0 이하인 경우, 어학연수비자(D-4)를 발급받은 유학생은 전체 이수학기 평균 출석율이 90% 이하인 경우에는 학업과 취업의 병행이 곤란한 것으로 보아 아르바이트가 불가능하다.

중소기업/스타트업을 위한
인사·노무 ESG 비밀노트

제3장

재직 단계

제3장 재직 단계

근로시간

CHAPTER 1

CHAPTER 1
근로시간

근로기준법에서는 장시간 근로를 예방하기 위해 근로시간의 상한선인 법정 근로시간을 정하고 있으며, 연장근로의 경우에도 최대시간 한도를 정하고 있다. 근로시간의 경우 임금과도 연결되기 때문에 매우 중요하며, 근로시간에 대한 정확한 이해가 필요하다 할 것이다. 최근에는 유연근로시간제와 재택근무를 도입하는 회사가 늘어나고 있으며, 다양한 형태의 근무방식과 근로시간 운영 방식이 도입될 것으로 기대된다.

근로시간의 개념

* * *

　근로기준법상 근로시간이란 근로자가 사용자의 지휘 · 감독 아래 근로계약상의 근로를 제공하는 작업의 개시로부터 종료까지의 시간에서 휴게시간을 제외한 실 근로시간을 의미한다.

　이는 적정한 근로시간을 보장함으로써 근로자의 신체적 · 정신적 피로의 회복을 통하여 근로의욕을 향상시키며, 또한 사회적 · 문화적 활동의 참가를 통해 자신의 능력을 계발함으로써 인간다운 생활을 영위하게 하는 데 있다.

　특정 시간이 근로시간에 포함되는지 여부에 대하여 ① 근로계약, 취업규칙, 단체협약 등에 근로시간으로 정하고 있는지, ② 해당 시간에 사용자의 지휘 · 감독을 받는지, ③ 해당 시간이 업무관련성이 있는지 여부를 기준으로 판단해야 할 것이다.

근로자가 실제로 업무를 하지 않은 대기시간이나 휴식, 수면시간 등이라 하더라도, 해당 시간이 휴게시간으로 볼 수 있을 정도의 근로자의 자유로운 이용이 보장되지 않은 시간이고 또한 실제적으로도 사용자의 지휘·감독이 언제든지 발생할 수 있었던 시간이라면 이를 당연히 근로시간에 포함시켜야 한다[17].

예를 들어 업무준비를 위해 작업복을 갈아입는 시간, 작업도구를 준비하는 시간, 교대시간과 같이 본격적으로 일을 하기 위해 필수적으로 소요되는 실 근로에 부수하는 시간이거나 사업주가 업무준비를 지시한 경우라면 근로시간에 포함된다.

그러나 업무준비시간이라 하더라도 사업주는 별다른 지시를 하지 않았으나 직원 스스로 근로할 태세를 갖추고 준비한 시간이나, 업무를 준비하도록 강제하지 않는 경우라면 근로시간에 포함되지 않는다.

근로시간의 판단에 관한 구체적 사례들을 살펴보면 ① 노무 제공과 관련없이 단지 구성원의 친목 도모를 위한 회식시간은 근로시간에 해당하지 않는다. ② 근로자에게 의무적으로 참여가 강제되는 교육시간은 업무를 수행하지 않더라도 근로시간에 포함된다. ③

---

17) 근로기준법 제50조(근로시간)
　① 1주 간의 근로시간은 휴게시간을 제외하고 40시간을 초과할 수 없다.
　② 1일의 근로시간은 휴게시간을 제외하고 8시간을 초과할 수 없다.
　③ 제1항 및 제2항에 따라 근로시간을 산정하는 경우 작업을 위하여 근로자가 사용자의 지휘·감독 아래에 있는 대기시간 등은 근로시간으로 본다.

워크샵 및 세미나의 경우 사용자의 지휘나 감독하에 있고 업무수행과 관련성이 있다면 근로시간으로 인정될 수 있다. ④ 접대의 경우, 사용자의 지시나 최소한의 승인하에 업무수행과 관련이 있는 제3자를 접대하는 경우라면 근로시간으로 인정된다 할 것이다<그림17>.

사용자의 지휘·감독하에 있는 업무준비시간은 근로시간에 포함된다. 근로시간에 해당한다고 판단되는 경우 사업주의 임금지급의무가 발생한다. 근로자가 근로를 하지 않고 쉬는 휴게시간의 경우 사업주는 임금을 근로자에게 지급하지 않아도 된다. 하지만 자유로운 이용이 보장되지 않은 상태로 사업주가 근로를 하도록 강제하는 경우라면 근로시간이 될 가능성이 높다.

예를 들어 추가적인 임금의 지급없이 근로계약서상 시간보다 30분 일찍 출근하라고 지시하는 경우 사전에 근로계약서상 합의된 근로조건 이외에 근로를 강제하는 것이 되어 금지될 뿐 아니라 근로자들이 근로조건이 사실과 다름을 이유로 손해배상을 청구하거나, 즉시 근로계약의 해제를 요구할 수도 있다[18].

---

18) 근로기준법 제19조(근로조건의 위반)
　　① 제17조에 따라 명시된 근로조건이 사실과 다를 경우에 근로자는 근로조건 위반을 이유로 손해의 배상을 청구할 수 있으며 즉시 근로계약을 해제할 수 있다.
　　② 제1항에 따라 근로자가 손해배상을 청구할 경우에는 노동위원회에 신청할 수 있으며, 근로계약이 해제되었을 경우에는 사용자는 취업을 목적으로 거주를 변경하는 근로자에게 귀향 여비를 지급하여야 한다.

<그림17> 근로시간의 개념

출처 : 소규모 사업장을 위한 7가지 노른자 노동법(고용노동부)

법정근로시간과 소정근로시간

* * *

법정근로시간

근로기준법 제50조[19])에서 정하고 있는 법정근로시간은 휴게시간을 제외하고 1일 8시간, 1주 40시간이다. 일반적인 경우 오전 9시부터 오후 6시까지로 정하고 있으며, 1주일에 주휴일 1일을 제외하고 최대 근로가 6일까지 가능하지만, 1일 8시간 근로를 적용하면 5일만에 주 40시간을 근무하게 되어 주 6일제가 아닌 주 5일제를 적용하고 있다.

---

19) 근로기준법 제50조(근로시간)
　　① 1주 간의 근로시간은 휴게시간을 제외하고 40시간을 초과할 수 없다.
　　② 1일의 근로시간은 휴게시간을 제외하고 8시간을 초과할 수 없다.
　　③ 제1항 및 제2항에 따라 근로시간을 산정하는 경우 작업을 위하여 근로자가 사용자의 지휘 · 감독 아래에 있는 대기시간 등은 근로시간으로 본다.

법정근로시간은 1953년 근로기준법을 만들 당시 1일 8시간, 1주 48시간이었으나, 1989년 근로기준법 개정으로 1주 46시간으로 단축되었다. 1990년 10월 1일 300인 이상 근로자를 보유하고 있는 사업장의 경우 1주 44시간으로 단축되었다가 1991년 10월 1일 다른 사업장까지 확대되었다. 현재와 같은 1주 40시간 근로의 경우 2004년 7월 1일 1천명 이상 사업장 → 2005년 7월 1일 300인 이상 사업장 → 2006년 7월 1일 100인 이상 사업장

→ 2007년 7월 1일 50인 이상 사업장 → 2008년 7월 1일 20인 이상 사업장 → 2011년 7월 1일 20인 미만 근로자를 보유하고 있는 사업장까지 순차적으로 확대 도입되었다.

18세 미만인 연소근로자의 경우 성인근로자에 비래 더 짧은 법정 근로시간인 1일 7시간, 1주 35시간이 적용된다[20]. 따라서 연소근로자는 오전 9시에 출근하면 오후 6시 퇴근이 아니라 오후 5시가 퇴근시간이다. 다만, 당사자 사이의 합의에 따라 1일에 1시간, 1주에 5시간을 한도로 연장할 수 있다.

산업안전보건법 제139조[21]에 따르면 유해하거나 위험한 작업

[20) 근로기준법 제69조(근로시간)
　　　15세 이상 18세 미만인 사람의 근로시간은 1일에 7시간, 1주에 35시간을 초과하지 못한다. 다만, 당사자 사이의 합의에 따라 1일에 1시간, 1주에 5시간을 한도로 연장할 수 있다.

21) 산업안전보건법 제139조(유해ㆍ위험작업에 대한 근로시간 제한 등)
　　　① 사업주는 유해하거나 위험한 작업으로서 높은 기압에서 하는 작업 등 대통령령으로 정하는 작업에 종사하는 근로자에게는 1일 6시간, 1주 34시간을 초과하여 근로하게 해서는 아니 된다.

으로서 잠함 또는 잠수 작업 등 높은 기압에서 하는 작업에 종사하는 근로자의 경우 1일 6시간, 1주 34시간을 초과할 수 없도록 규정하고 있다.

소정근로시간

소정근로시간이란 법정근로시간의 범위 내에서 근로자와 사용자 간에 근로하기로 정한 시간을 말한다. 소정근로시간을 초과하여 근로한 경우라도 총근로시간이 법정근로시간의 범위 내인 경우에는 시간외 근로(근로기준법 제56조[22])에 해당되지 않는다<그림18>.

---

② 사업주는 대통령령으로 정하는 유해하거나 위험한 작업에 종사하는 근로자에게 필요한 안전조치 및 보건조치 외에 작업과 휴식의 적정한 배분 및 근로시간과 관련된 근로조건의 개선을 통하여 근로자의 건강 보호를 위한 조치를 하여야 한다.

22) **근로기준법 제56조(연장·야간 및 휴일 근로)**
① 사용자는 연장근로(제53조·제59조 및 제69조 단서에 따라 연장 된 시간의 근로를 말한다)에 대하여는 통상임금의 100분의 50 이상 을 가산하여 근로자에게 지급하여야 한다.
② 제1항에도 불구하고 사용자는 휴일근로에 대하여는 다음 각 호의 기준에 따른 금액 이상을 가산하여 근로자에게 지급하여야 한다.
1. 8시간 이내의 휴일근로: 통상임금의 100분의 50
2. 8시간을 초과한 휴일근로: 통상임금의 100분의 100
③ 사용자는 야간근로(오후 10시부터 다음 날 오전 6시 사이의 근로를 말한다)에 대하여는 통상임금의 100분의 50 이상을 가산하여 근로자에게 지급하여야 한다.

<그림18> 법정근로시간과 소정근로시간

법정근로시간과 소정근로시간

법정 근로시간

법률에서 정하고 있는 기준근로시간

- 연소근로자와 유해위험작업 근로자는 별도의 법정근로시간 규정

일반근로자
- 1일 8시간, 1주간 40시간

연소근로자 (18세 미만)
- 1일 7시간, 1주 35시간

유해위험작업 근로자
- 1일 6시간, 1주 34시간

소정 근로시간

법정 근로시간의 범위 안에서 근로자와 사용자가 정한 시간

일반근로자
- 법정 근로시간내에서 체결

단시간근로자
- 1주 동안의 소정근로시간이 통상의 근로자보다 짧을 경우

*연장 근로의 제한 : 당사자 간에 합의하면 1주 간에 12시간을 한도로 근로시간을 연장 할 수 있다.
(상시근로자 5인이상 적용)

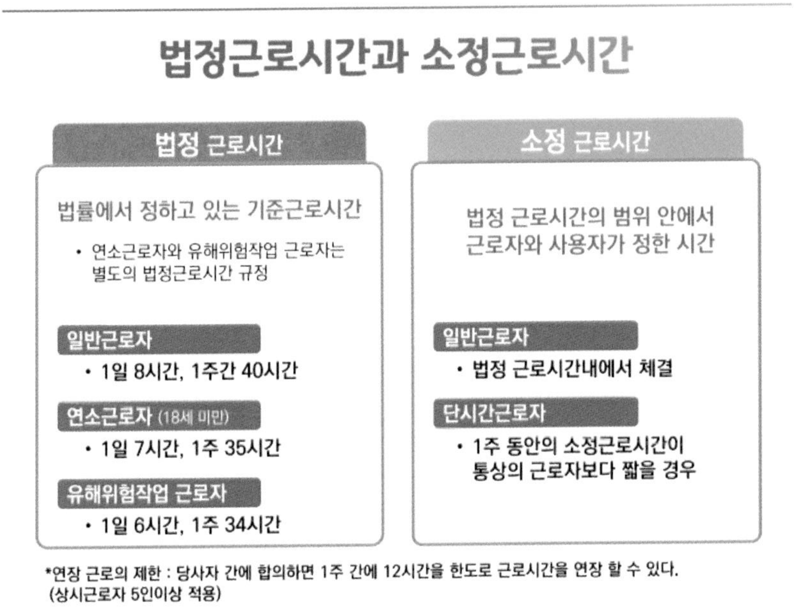

출처 : 소규모 사업장을 위한 7가지 노른자 노동법(고용노동부)

사업장 밖 간주근로(인정근로), 재량근로, 교대제근로

***

사업장 밖 간주근로(인정근로)

간주근로란 출장 등에 의해 통상적인 방법으로 적절한 근로시간 산정이 어려운 경우 사전에 소정근로시간을 근로한 것으로 간주할 수 있도록 함으로써 근로시간의 관리를 용이하게 하는 한편 업무의 효율성을 제고하고, 아울러 근로시간 산정과 임금계산을 둘러싼 노사간 분쟁의 소지를 제거하고자 만든 제도[23]를 말한다.

---

[23] **근로기준법 제58조(근로시간 계산의 특례)**
　　① 근로자가 출장이나 그 밖의 사유로 근로시간의 전부 또는 일부를 사업장 밖에서 근로하여 근로시간을 산정하기 어려운 경우에는 소정근로시간을 근로한 것으로 본다. 다만, 그 업무를 수행하기 위하여 통상적으로 소정근로시간을 초과하여 근로할 필요가 있는 경우에는 그 업무의 수행에 통상 필요한 시간을 근로한 것으로 본다.

외부에서 근로를 제공해야 하는데 상태적인 사업장 외 근로자, 취재기자, 외근 영업사원뿐만 아니라 임시적인 사업장외 근로인 출장, 파견 등도 해당된다.

근로시간 계산이 곤란해야 하는데 간주근로시간제는 사업장의 근로중에서도 근로시간의 산정이 어려운 경우에만 혀용되는 특례 규정이므로 사업장의 근로라도 근로시간을 산정할 수 있는 경우에는 산정된 근로시간을 근로한 것으로 보면 된다.

근로자가 출장이나 그 밖의 사유로 근로시간의 전부 또는 일부를 사업장 밖에서 근로하여 근로시간을 산정하기 어려운 경우에는 소정근로시간을 근로한 것으로 본다.

초과근로의 경우 당해 업무에 관하여 근로자대표와의 서면합의가 있는 때에는 그 합의에서 정하는 시간을 그 업무의 수행에 통상 필요한 시간으로 본다. 그러나 근로자대표와 서면합의가 없는 경우 당해 업무를 수행하기 위하여 통상적으로 소정근로시간을 초과하여 근로할 필요가 있는 경우에는 그 업무의 수행에 통상 필요한 시간을 근로한 것으로 본다.

---

② 제1항 단서에도 불구하고 그 업무에 관하여 근로자대표와의 서면합의를 한 경우에는 그 합의에서 정하는 시간을 그 업무의 수행에 통상 필요한 시간으로 본다.

재량근로

재량근로란 주로 전문직 근로자를 대상으로 사용자 지시를 배제한 채 근로시간의 결정이 곤란한 경우 근로자대표와의 서면합의를 통해 근로시간의 길이를 확정하겠다는 근로시간 결정에 관한 제도로서, 업무수행방법을 근로자의 재량에 위임하여 근로시간의 질과 성과에 따라 보수를 결정하는 제도[24]를 말한다.

대상업무로는 ① 신상품 또는 신기술의 연구개발이나 인문사회과학 또는 자연과학분야의 연구업무, ② 정보처리시스템의 설계 또는 분석업무, ③ 신문·방송 또는 출판사업에 있어서 기사의 취재·편성 또는 편집업무, ④의복, 실내장식, 공업제품, 광고 등의 디자인 또는 고안업무, ⑤방송, 프로그램, 영화 등의 제작사업에서의 프로듀서나 감독업무 등이 있다.

근로자대표와의 서면합의가 필요한데, 서면합의의 내용으로 ①대상업무와 ②사용자가 업무의 수행수단 및 시간배분 등에 관하여 근로자에게 구체적인 지시를 하지 아니한다는 내용 및 ③근로시간의 산정은 당해 서면합의로 정하는 바에 따른다는 내용을 명시하

---

24) 제58조(근로시간 계산의 특례)
　③ 업무의 성질에 비추어 업무 수행 방법을 근로자의 재량에 위임할 필요가 있는 업무로서 대통령령으로 정하는 업무는 사용자가 근로자대표와 서면 합의로 정한 시간을 근로한 것으로 본다. 이 경우 그 서면 합의에는 다음 각 호의 사항을 명시하여야 한다.
　1. 대상 업무
　2. 사용자가 업무의 수행 수단 및 시간 배분 등에 관하여 근로자에게 구체적인 지시를 하지 아니한다는 내용
　3. 근로시간의 산정은 그 서면 합의로 정하는 바에 따른다는 내용

여야 한다.

　재량근로가 실시되는 소정의 업무에 대하여 근로자대표와 서면합의로 정한 시간을 근로시간으로 보며, 시간외, 휴일, 야간근로에 대한 법적 규제는 그대로 적용되므로 법정근로시간을 초과시에는 당연히 가산금을 지급하여야 한다.

교대제근로

　교대제근로란 근로자들을 2개조 이상으로 조직하여 각 조를 교대로 근로하게 하는 변형적 근로의 한 형태를 말한다. 교대제는 공익상, 기술상의 이유 또는 기업경영상의 이유에서 실시되고 있는 현실하에서는 근로자 개인과 그의 가족들의 건강이나 생활에 미치는 역기능도 고려할 필요성이 있다.

　교대제근로의 경우에도 주휴일, 근로시간, 휴게·휴가, 야간근로 등 법정 근로조건은 적용되어야 한다.

　즉, 주휴일과 관련하여 교대제를 운영하더라도 근로기준법 제55조에 규정된 주휴일을 부여하여야 한다. 주휴일은 0시부터 24시까지 역일단위로 주어져야 하며, 불가피한 경우 1주 1회 이상 계속하여 24시간의 휴일이 부여되면 된다.

　근로시간의 경우 교대제를 운용하더라도 근로시간은 1주 40시간, 1일 8시간을 초과할 수 없다. 연장근로의 경우에는 당사자의 합의가 있어야 하며, 1주에 12시간을 초과할 수 없다.

교대제 근로라도 4시간마다 30분씩 휴게시간을 주여야 하며, 연차유급휴가, 생리휴가, 산전후보호휴가 등 법정휴가 등도 당연히 주어야 한다.

교대제 근로를 통한 야간근로시 야간작업에 대해서 통상임금의 50/100이상을 가산하여 지급하여야 한다.

교대제를 시행하기 위해서는 취업규칙 등에 의해서 근로조건으로 약정되어야 하며, 당초 시행하고 있지 않다가 도입하는 경우에는 취업규칙 변경의 일반법리[25)]에 따라 근로자의 동의를 얻어야 한다.

---

25) 근로기준법 제94조(규칙의 작성, 변경 절차)
  ① 사용자는 취업규칙의 작성 또는 변경에 관하여 해당 사업 또는 사업장에 근로자의 과반수로 조직된 노동조합이 있는 경우에는 그 노동조합, 근로자의 과반수로 조직된 노동조합이 없는 경우에는 근로자의 과반수의 의견을 들어야 한다. 다만, 취업규칙을 근로자에게 불리하게 변경하는 경우에는 그 동의를 받아야 한다.
  ② 사용자는 제93조에 따라 취업규칙을 신고할 때에는 제1항의 의견을 적은 서면을 첨부하여야 한다.

가산수당

✳ ✳ ✳

사용자는 ① 연장근로와 ② 야간근로(하오 10시부터 상오 6시까지 사이의 근로) 또는 ③ 휴일근로에 대하여는 통상임금의 100분의 50이상을 가산하여 지급하여야 한다[26].

---

26) **근로기준법 제56조(연장·야간 및 휴일 근로)**
　① 사용자는 연장근로(제53조·제59조 및 제69조 단서에 따라 연장　된 시간의 근로를 말한다)에 대하여는 통상임금의 100분의 50이상　을 가산하여 근로자에게 지급하여야 한다.
　② 제1항에도 불구하고 사용자는 휴일근로에 대하여는 다음 각 호의 기준에 따른 금액 이상을 가산하여 근로자에게 지급하여야 한다.
　1. 8시간 이내의 휴일근로: 통상임금의 100분의 50
　2. 8시간을 초과한 휴일근로: 통상임금의 100분의 100
　③ 사용자는 야간근로(오후 10시부터 다음 날 오전 6시 사이의 근로를 말한다)에 대하여는 통상임금의 100분의 50 이상을 가산하여 근로자에게 지급하여야 한다.

연장근로

연장근로는 법상 인정된 법정근로시간을 초과한 당사자간의 합의 등에 의해서 행해진다. 이러한 연장근로는 통상임금의 50%이상이 가산된다. 가산금이 지급되어야 할 연장근로는 합의연장근로, 인가연장근로, 업종별 변형근로시간제에 대한 연장근로 및 연소근로자의 연장근로뿐만 아니라 산전후 1년 미만의 여성근로자의 시간외근로 등이 해당된다.

이와 같은 연장근로의 경우에도 법내연장근로, 탄력적 근로시간제의 경우, 선택적 근로시간제의 경우 그리고 근로기준법 제63조[27])에 의해 적용되는 사업의 경우 가산금을 지급하지 않아도 된다.

법내연장근로의 경우 단체협약이나 취업규칙에서 정한 소정근로시간에 대한 연장근로일지라도 사용자는 법정근로시간 이내이면 가산금을 지급할 의무가 없다.

탄력적 근로시간제의 경우 특정주,특정일의 근로시간이 법정근

---

27) **근로기준법 제63조(적용의 제외)**

이 장과 제5장에서 정한 근로시간, 휴게와 휴일에 관한 규정은 다음 각 호의 어느 하나에 해당하는 근로자에 대하여는 적용하지 아니한다.

1. 토지의 경작 · 개간, 식물의 식재(植栽) · 재배 · 채취 사업, 그 밖의 농림 사업
2. 동물의 사육, 수산 동식물의 채취 · 포획 · 양식 사업, 그 밖의 축산, 양잠, 수산 사업
3. 감시(監視) 또는 단속적(斷續的)으로 근로에 종사하는 사람으로서 사용자가 고용노동부장관의 승인을 받은 사람
4. 대통령령으로 정하는 업무에 종사하는 근로자

로시간보다 초과하더라도 단위기간을 평균하여 1주간의 근로시간이 40시간을 초과하지 않는다면 가산금을 지급하지 않아도 된다.

선택적 근로시간제의 경우 당해 정산기간을 평균하여 1주간에 40시간을 초과하지 않는 범위에서 법정근로시간을 초과하더라도 가산금을 지급하지 않아도 된다.

근로기준법 제63조에 의해 적용되는 사업 즉, 토지의 경작, 개간, 식물의 식재, 재배, 채취사업, 그밖의 농림 사업, 동물의 사육, 수산 동식물의 채취, 포획, 양식사업 그 밖의 축산, 양잠, 수산사업, 감시 또는 단속적으로 근로에 종사하는 사람으로서 고용노동부장관의 승인을 받은 사람은 연상·휴일근로에 대해서 가산금제도가 적용되지 않는다.

야간근로

야간근로는 하오 10시부터 상오 6시까지 사이의 근로를 말하는데 소정근로시간 내의 근로라 할지라도 야간근로인 한 가산금을 지급하여야 한다. 근로기준법 제63조에 규정된 감시 또는 단속적 근로에 종사하는 사람으로서 고용노동부장관의 승인을 받은 사람은 야간근로에 대해 가산금이 지급되어야 한다.

휴일근로

휴일근로는 당초부터 근로의무가 없는 날의 근로를 의미하는 데, 가산금을 지급하여야 할 휴일근로는 유급휴일과 무급휴일을 구별하지 않고 일체의 휴일이 포함된다.

무급휴일의 근로에 대해서는 당일 통상임금(100%)과 가산금(50%)을 합하여 150%가 지급되어야 하며, 유급휴일의 근로에 대해서는 유급으로 당연히 지급되어야 하는 통상임금(100%), 당일 근로에 대한 통상임금(100%) 및 그 가산금(50%)을 합하여 250%가 지급되어야 한다.

법에서 정한 유급휴일과 기타의 유급휴일 등이 중복되었을 경우에는 단체협약, 취업규칙 등에 다른 규정이 없는 한, 하나의 휴일로 인정해도 무방하다.

사용자는 법정공휴일인 국경일이라 하더라도 약정휴일이 아니거나 일요일인 경우라도 주휴일이 아닌 경우 단지 휴일에 근로했다는 것만으로 가산금을 지급할 의무는 없다.

가산금은 통상임금의 100분의 50 이상을 가산하여 지급하여야 한다. 가산금 지급사유가 중복되어 일부 가산금은 초과 지급되고, 다른 일부 가산금은 과소지급된 경우 특별한 규정이 없는 한 초과 지급된 만큼 지급되지 않은 부분에 충당한 것으로 본다.

가산금 지급사유인 연장근로, 휴일근로 및 야간근로 등이 서로 중복되는 경우 각각 함께 가산금을 지급하여야 한다<그림19>

.<그림19> 가산수당

가산수당(상시근로자 5인이상 적용)

연장근로
- 법정 근로시간을 초과하여 근로하는 경우
  50% 이상 가산

휴일근로
- 법정 또는 약정 휴일에 근로하는 경우
  8시간 이내 50% 이상 가산
  8시간 초과 100% 이상 가산

야간근로
- 22:00~06:00 사이에 근로하는 경우
  50% 이상 가산

출처 : 소규모 사업장을 위한 7가지 노른자 노동법(고용노동부)

휴게시간

* * *

휴게시간이란 근로자가 근로시간 중에 사용자의 지휘·감독으로부터 벗어나 자유로이 이용할 수 있는 시간[28]을 말한다. 따라서 휴게시간은 근로시간이 아니므로 사용자는 근로자에게 임금을 지급할 의무는 없다.

사용자는 근로시간이 4시간인 경우에는 30분 이상, 8시간인 경우에는 1시간 이상의 휴게시간을 근로시간 도중에 주어야 한다. 근로시간이 4시간인 경우란 근로시간이 4시간을 경과한 때에는 바로 30분 이상의 휴게시간을 주어야 한다는 것이 아니라, 실근로시간의 총계가 4시간 이상 8시간 미만인 경우에는 그 근로시간의 도중에

---

[28] **근로기준법 제54조(휴게)**
　① 사용자는 근로시간이 4시간인 경우에는 30분 이상, 8시간인 경우에는 1시간 이상의 휴게시간을 근로시간 도중에 주어야 한다.
　② 휴게시간은 근로자가 자유롭게 이용할 수 있다.

30분 이상의 휴게시간을 주어야 한다는 뜻이다.

둘 이상의 사업장에 걸친 경우 근로시간통산의 원칙에 따라 나중에 사용하는 사업장에서 소정의 휴게시간을 줄 책임이 있다.

근로시간 중 작업량이 현저히 적거나 없는 시간을 이용하여 법이 정한 휴게시간 이상의 장시간을 휴식하게 하는 것을 브레이크타임제라 하는데, 근로기준법에서는 휴게시간의 최저기준만을 명시할 뿐, 상한에 대한 제한이 없으므로 위법으로 보기 어렵다 할 것이다.

휴게시간은 반드시 근로시간의 도중에 주어야 한다. 그러므로 시업시간과 종업시간의 도중에 주어야 하며, 시업 전 또는 종업 후에 주는 것은 허용되지 않는다.

휴게시간을 분할할 수 있느냐에 관하여는 명문의 규정이 없으나, 원칙적으로 일시에 주어야 할 것이다.

사용자는 휴게시간의 위치를 변경할 수 있다. 그러나 단체협약이나 취업규칙에 휴게시간이 특정되어 있다면, 이 휴게시간 변경에 대해서 사용자가 일방적으로 변경할 수 없고 근로자의 동의를 얻어야 한다.

휴게시간은 근로자가 자유롭게 이용할 수 있다. 이를 휴게시간 자유이용의 원칙이라고 하며, 이는 휴게시간이 근로자의 권리로서 인정되고 사용자의 지휘·감독으로부터 이탈할 수 있는 시간이라는 의미이다. 휴게시간은 근로자가 자유로이 이용할 수 있는 시간이기는 하지만 시업에서 종업까지의 구속시간 중의 시간이므로 절대적인 자유가 보장되는 것은 아니며, 사용자로부터 일정한 제한을 받는다. 근로자가 휴게시간을 이용하여 조합활동의 일환으로서 유인물을 배포하는 행위나 근로자의 정치활동 등은 다른 근로자의 휴게를 방해하거나 구체적으로 직장질서를 문란하게 하는 것이 아닌 한 인정된다 할 것이다.

근로시간 및 휴게시간의 특례규정인 근로기준법 제59조29)에 따라 ① 육상운송 및 파이프라인 운송업, ② 수상운송업, ③ 항공운송업, ④ 기타 운송 관련 서비스업, ⑤ 보건업에 대하여 사용자가 근로자대표와 서면으로 합의한 경우 주12시간을 초과하여 연장근로를 하게 하거나 휴게시간을 변경할 수 있다. 이 경우 사용자는 근로일 종료 후 다음 근로일 개시 전까지 근로자에게 연속하여 11시간 이상의 휴식시간을 주어야 한다.

근로기준법 제63조에 의해 적용되는 사업 즉, 토지의 경작, 개

---

29) **제59조(근로시간 및 휴게시간의 특례)**
　① 「통계법」 제22조제1항에 따라 통계청장이 고시하는 산업에 관한 표준의 중분류 또는 소분류 중 다음 각 호의 어느 하나에 해당하는 사업에 대하여 사용자가 근로자대표와 서면으로 합의한 경우에는 제53조제1항에 따른 주(週) 12시간을 초과하여 연장근로를 하게 하거나 제54조에 따른 휴게시간을 변경할 수 있다.
　1. 육상운송 및 파이프라인 운송업. 다만, 「여객자동차 운수사업법」 제3조제1항제1호에 따른 노선(路線) 여객자동차운송사업은 제외한다.
　2. 수상운송업
　3. 항공운송업
　4. 기타 운송관련 서비스업
　5. 보건업
　② 제1항의 경우 사용자는 근로일 종료 후 다음 근로일 개시 전까지 근로자에게 연속하여 11시간 이상의 휴식 시간을 주어야 한다.

간, 식물의 식재, 재배, 채취사업, 그 밖의 농림 사업, 동물의 사육, 수산 동식물의 채취, 포획, 양식사업 그 밖의 축산, 양잠, 수산사업, 감시 또는 단속적으로 근로에 종사하는 사람으로서 고용노동부장관의 승인을 받은 사람은 휴게에 관한 규정이 적용되지 않는다<그림20>.

<그림20> 휴게시간

휴게 시간

근로기준법 제54조

사용자는 근로시간이 4시간인 경우에는 30분 이상,
8시간인 경우에는 1시간 이상의 휴게시간을 근로시간 도중에 주어야 함
휴게시간은 근로자가 자유롭게 이용 할 수 있어야 함

⇒ 위반시 2년 이하 징역 또는 2천만원 이하의 벌금

- 근로자가 근로시간 도중에 사용자의 지휘명령에서 완전히 해방되고,
  자유로운 이용이 보장된 시간 (대법 2014다74254, 2017.12.5)
- 근로시간에 포함되지 않고 임금도 지급되지 않음
- 시업시각과 종업시간 중간에 주어야 하므로 일하기 전후에는 줄 수 없음

행정해석 | **휴게시간을 분할하여 부여하는 경우**

휴게시간을 일시적으로 부여함이 휴게제도의 취지에 부합되나,
작업의 성질 또는 사업장의 근로조건 등에 비추어 사회통념상 필요하고,
타당성이 있다고 일반적으로 인정되는 범위 내에서
휴게제도 본래의 취지에 어긋나지 않는 한 휴게시간을 분할하여 주어도 무방

출처 : 소규모 사업장을 위한 7가지 노른자 노동법(고용노동부)

휴일 · 휴직

CHAPTER 2

CHAPTER 2
휴일 · 휴직

근로기준법에서는 근로자에게 적절한 휴식권을 보장하기 위하여 1일 단위로 휴게시간을, 1주일 단위로 유급 주휴일을, 1개월 또는 1년 단위로 연차유급휴가를 부여하고 있다. 또한 근로자의 날이나 공휴일을 법정휴일로 정하고 있으며, 모성보호를 위한 법정 휴가도 있다. 경조휴가나 병가 등과 같이 법률적 의무사항은 아니지만 취업규칙 등으로 정해서 부여하는 약정휴가를 운영하기도 한다.

유급휴일

* * *

휴일이란 근로자가 사용자의 지휘·명령으로부터 완전히 벗어나 근로를 제공할 의무가 없는 날을 의미한다. ILO조약이나 각국의 입법례와는 달리 주휴제를 유급으로 하고 있다는 점에 특색이 있다.

근로기준법 시행령 제30조[30]는 유급휴일을 1주 동안의 소정 근로일을 개근한 자에게 주도록 함으로써 주휴일 부여요건을 제한하고 있다. 여기서 소정 근로일이란 근로계약, 취업규칙, 단체협약 등에 의거 근로자와 사용자가 근로를 제공하기로 정한 날을 의미

---

30) 근로기준법 시행령 제30조(휴일)
　① 법 제55조제1항에 따른 유급휴일은 1주 동안의 소정근로일을 개　근한 자에게 주어야 한다.
　② 법 제55조제2항 본문에서 "대통령령으로 정하는 휴일"이란 「관　공서의 공휴일에 관한 규정」 제2조 각 호(제1호는 제외한다)에 따른　공휴일 및 같은 영 제3조에 따른 대체공휴일을 말한다.

한다.

근로기준법 제55조[31])는 1주일에 평균 1회 이상의 유급휴일을 주도록 하고 있다. 여기서 '1주일'이라 함은 연속한 7일의 기간을 의미하는 것으로, 반드시 월력에 의한 일요일부터 토요일까지로 하여야 하는 것은 아니다.

1회의 휴일이라 함은 원칙적으로 오전 0시부터 오후 12시까지의 역일을 의미하나 교대제, 격일제 등 일주일에 비번일 내지 휴무일이 2일 이상 되는 경우에는 이중 1일을 유급처리함으로써 주휴일에 대한 부담을 해소할 수 있다.

---

31) **근로기준법 제55조(휴일)**
　① 사용자는 근로자에게 1주에 평균 1회 이상의 유급휴일을 보장하여야 한다.
　② 사용자는 근로자에게 대통령령으로 정하는 휴일을 유급으로 보장하여야 한다. 다만, 근로자대표와 서면으로 합의한 경우 특정한 근로일로 대체할 수 있다.

　[시행일] 제55조제2항의 개정규정은 다음 각 호의 구분에 따른 날부터 시행한다.
　1. 상시 300명 이상의 근로자를 사용하는 사업 또는 사업장,「공공기관의 운영에 관한 법률」제4조에 따른 공공기관,「지방공기업법」제49조 및 같은 법 제76조에 따른 지방공사 및 지방공단, 국가·지방자치단체 또는 정부투자기관이 자본금의 2분의 1 이상을 출자하거나 기본재산의 2분의 1 이상을 출연한 기관·단체와 그 기관·단체가 자본금의 2분의 1 이상을 출자하거나 기본재산의 2분의 1 이상을 출연한 기관·단체, 국가 및 지방자치단체의 기관: 2020년 1월 1일
　2. 상시 30명 이상 300명 미만의 근로자를 사용하는 사업 또는 사업장: 2021년 1월 1일
　3. 상시 5인 이상 30명 미만의 근로자를 사용하는 사업 또는 사업장: 2022년 1월 1일

단체협약이나 취업규칙 등에 휴일이 중복되는 경우 그 익일을 휴일로 한다는 등 별도로 정하지 않는 경우 근로자에게 유리한 하나의 휴일만이 인정되는 것으로 볼 것이다.

1주간 소정 근로일 중 결근이 존재하는 경우 근로자가 소정의 근로일수를 모두 근무하지 않았다 하더라도 사용자에 대해 유급휴일로 처리해 줄 것을 청구할 수 없을 뿐, 휴일 자체는 보장된다.

주휴일의 적치사용은 1주간의 근로제공으로 인해 축적된 근로자의 피로를 회복시킨다는 데에 주된 취지가 있는 만큼 주휴일의 적치사용은 인정되지 않는다.

1주일에 평균 1회 이상의 유급휴일을 가질 수 있는 자는 1주 동안의 소정 근로일을 개근한 자에 한한다. 법은 주휴일을 부여받을 수 있는 근로자에 대하여 아무런 제한을 두고 있지 않기 때문에 정규직이나 계약직, 임시직, 일용직이든 격일제 근무, 교대제 근무, 단시간근로와 같은 비정규직 등 계약형태나 근로형태를 불문하고 주휴일부여의 요건이 충족되면 당연히 부여되어야 한다.

1주일에 평균 1회 이상의 휴일이란 1주일에 1일 이상의 휴일로서 24시간의 역일을 의미한다. 그러나 작업의 기술상 또는 경영상의 사정으로 인하여 교대제 근로가 불가피한 경우에는 예외적으로 계속 24시간의 휴식을 준다면 1일의 휴일이 되므로 이 규정을 위반한 것이 아니라고 본다.

휴일을 어떤 요일에 주어야 할 것인가에 대해서 명문의 규정이 없기 때문에 단체협약이나 취업규칙으로 정하는 것이 일반적이며,

반드시 일요일일 필요는 없다.

휴일의 대체란 미리 휴일로 특정되어 있는 날에 근로를 시키고, 그 대신에 근로가 예정된 날을 휴일로 대체하는 것을 의미한다. 주휴일의 특정에 관하여 명문의 규정이 없으므로 특별한 사정이 있는 경우에 단체협약이나 취업규칙 등으로 휴일의 대체가 규정되어 있거나 근로자의 동의를 얻은 경우에는 휴일의 대체를 할 수 있다고 본다. 이 때 휴일의 대체의 경우 휴일 자체가 변경되어 버리기 때문에 휴일에 근로를 하여도 휴일근로로 보지 않으며 사용자는 휴일의 대체에 의한 근로에 대하여 가산금을 지급할 필요가 없다.

근로기준법 제63조에 의해 적용되는 사업 즉, 토지의 경작, 개간, 식물의 식재, 재배, 채취사업, 그밖의 농림 사업, 동물의 사육, 수산 동식물의 채취, 포획, 양식사업 그 밖의 축산, 양잠, 수산사업, 감시 또는 단속적으로 근로에 종사하는 사람으로서 고용노동부장관의 승인을 받은 사람은 주휴제에 관한 규정이 적용되지 않는다 <그림21>.

4주간 평균하여 1주간의 소정근로시간이 15시간 미만인 '뚜렷하게 짧은 단시간근로자'의 경우에는 주휴일 규정의 적용을 배제할 수 있다.

<그림21> 유급휴일

유급휴일

● 법정휴일 : 주휴일, 관공서 공휴일(대체공휴일 포함), 근로자의 날
  – 관공서 공휴일은 기업규모에 따라 단계적 시행
    ▲('20.1.1.) 300인 이상   ▲('21.1.1.) 30~299인   ▲('22.1.1.) 5~29인

구분	주휴일	관공서 공휴일	근로자의 날 (매년 5월 1일)
근거	근로기준법 제55조제1항	근로기준법 제55조제2항	근로자의 날 제정에 관한 법률
적용 사업장	모든 사업장	5인 이상 사업장	모든 사업장
적용 근로자	소정근로시간 1주 15시간 이상	소정근로시간 1주 15시간 이상	모든 근로자
적용제외 근로자	근로기준법 제63조의 근로자	근로기준법 제63조의 근로자	없음
유·무급 여부	1주 소정근로일을 개근한 경우 유급	유급	유급

● 약정휴일 : 단체협약, 취업규칙 등 노사가 자율적으로 정하여 부여하는 휴일
  (회사창립기념일, 노조창립일 등)

출처 : 소규모 사업장을 위한 7가지 노른자 노동법(고용노동부)

제3장 재직 단계

임금

CHAPTER 3

CHAPTER 3
임금

근로자가 연장근로나 휴일근로는 하는 경우 해당 수당이 추가로 지급되어야 한다. 임금은 권리가 발생한 날로부터 3년간 청구할 수 있으며, 근로자의 동의없이 회사에서 임의로 임금에서 공제하는 것은 불법이다. 임금을 지급하는 경우 최소한 한달에 한 번 이상 정해진 임금 지급일에 지급을 하는 것이 원칙이고, 퇴직자의 경우 퇴직한 날로부터 14일 이내에 임금과 퇴직금 등을 지급하여야 한다.

임금의 개념

   임금이란 사용자가 근로의 대가로 근로자에게 임금 · 봉급 그 밖의 어떠한 명칭으로든지 지급하는 일체의 금품을 말한다[32]. 임금은 사용자가 근로자에게 지급하는 것이므로 사용자 이외의 자로부터 지급되는 것은 원칙적으로 임금이 아니다.

   임금은 사용자가 근로자에게 지급하는 금품 가운데 근로의 대가로 지급하는 금품을 말하는데 근로의 대가란 사용자가 근로자에게 지급하는 금품 가운데 사용종속관계에서 행하는 근로제공에 대한 보수를 말한다.

   ① 임의적 · 은혜적인 것이냐의 여부, ② 복지후생시설이냐의 여

---

32) **근로기준법 제2조(정의)**
   ① 이 법에서 사용하는 용어의 뜻은 다음과 같다.
   5. "임금"이란 사용자가 근로의 대가로 근로자에게 임금, 봉급, 그 밖에 어떠한 명칭으로든지 지급하는 모든 금품을 말한다.

부, ③ 기업설비의 일환으로 지급되는 것이냐의 여부에 따라 임금인지 여부가 문제되는데, 결혼축의금, 질병위문금, 근친자 사망시의 조의금 등은 임의적·은혜적 급부로서 근로의 대상으로 인정되지 않는다. 그리고 사용자가 근로에 대한 직접적인 보수로서가 아니고 근로자의 복리후생을 위하여 지급하는 이익 또는 비용은 임금이 아니다, 작업복, 작업용품비, 출장여비, 접대비 등 기업설비의 일환으로 지급되는 것을 임금으로 볼 수 없다.

사용자가 근로자에게 지급되는 물품으로서 근로의 대가로 지급하는 금품인 경우 그 명칭의 여하를 불문한다. 즉 사용종속관계에서 근로의 대상으로 지급되는 것이면 임금·봉급·기타 어떠한 명칭이라도 모두 임금에 해당된다<그림22>.

임금의 지급과 관련하여 ① 통화불의 원칙, ② 직접불의 원칙, ③ 전액불의 원칙, ④ 일정기불의 원칙이 있다[33].

통화불의 원칙

통화불의 원칙은 사용자는 임금을 통화로 지급하여야 한다는 것이다. 다만, 법령 또는 단체협약에 특별한 규정이 있는 경우에는

---

[33] 근로기준법 제43조(임금 지급)

① 임금은 통화(通貨)로 직접 근로자에게 그 전액을 지급하여야 한다. 다만, 법령 또는 단체협약에 특별한 규정이 있는 경우에는 임금의 일부를 공제하거나 통화 이외의 것으로 지급할 수 있다.

② 임금은 매월 1회 이상 일정한 날짜를 정하여 지급하여야 한다. 다만, 임시로 지급하는 임금, 수당, 그 밖에 이에 준하는 것 또는 대통령령으로 정하는 임금에 대하여는 그러하지 아니하다.

임금의 일부를 통화 이외의 것으로 지급할 수 있다. 이 때 통화란 강제 통용력이 있는 화폐를 말하며, 은행권과 주화를 말한다. 현물급여는 가격이 불명료하고 환가에도 불편하므로 근로자에게 생활의 불안정성을 기하고, 임금의 실질적 저하를 가져오므로 근로자보호를 위하여 금지된다.

직접불의 원칙

직접불의 원칙은 임금은 직접 근로자에게 지급하여야 한다는 것이다. 이는 부모나 제3자에 의한 중간착취를 배제하기 위하여 인정된 원칙이다.

대리인에 의한 지급의 경우 즉, 근로자가 제3자에게 임금지급을 위임하거나 대리하게 하는 법률행위는 무효이며, 사용자가 임금을 근로자의 친권자나 대리인에게 지급하는 경우에도 동 원칙에 반한다.

사자(使者)에 대한 지급의 경우 예를 들면 환자인 근로자가 처를 시켜 임금을 수령하게 한 경우에는 동 원칙에 반하지 않는다. 근로자에 대한 대체계좌입금이 근로자의 자유로운 의사에 근거하고 그 계좌가 근로자가 지정하는 본인 명의의 예금계좌이어야 하며, 임금 전액을 임금지급일에 찾을 수 있는 경우에만 동 원칙에 반하지 않는다.

임금채권이 양도된 경우에 있어서는 양도 자체는 유효하되, 양수인에 대한 임금지급은 직접불의 원칙에 반한다고 보는 것이 판례의 입장이다.

전액불의 원칙

전액불의 원칙은 임금 전액을 근로자에게 지급하여야 한다는 것이다. 다만, 법령 또는 단체협약에 특별한 규정이 있는 경우에는 임금의 일부를 공제할 수 있다. 즉 근로소득세, 국민연금, 건강보험료, 기능습득자에 대한 거주비와 취사비 등의 경우 법령에 규정에 의하여 전액불 원칙의 예외가 인정되는 경우이며, 회사 내의 소비조합에서의 구매대금 또는 사택료, 대부금 등을 임금에서 공제할 것을 약정한 경우에 공제 가능하고 조합비 일괄공제 제도의 경우도 공제가능하다.

일정기불의 원칙

일정기불의 원칙은 임금은 매월 1회 이상 일정한 날짜에 지급하여야 한다는 것이다. 다만, 결혼수당, 병위문금과 같이 사유는 확정되었지만 지급하는 사유가 발생하는 날짜를 확정할 수 없는 임시로 지급하는 임금, 수당 그 밖에 이에 준하는 것 또는 정근수당, 근속수당, 장려금·능률수당 또는 상여금, 그 밖에 부정기적으로 지급되는 모든 수당 등 대통령령으로 정하는 임금의 경우는 예외이다. 매월 1회 이상이란 매월 1일부터 말일까지 적어도 1회 이상은 임금을 지급하여야 한다는 의미이다. 이 때 날짜는 특정되어야 함과 동시에 그 날짜가 주기적으로 도래하는 것이어야 한다.

임금체불의 경우 사용자가 개개의 근로자 또는 노동조합의 동의 내지 승낙을 얻었다 하더라도 그 책임을 면할 수 없다. 그리고 임금체불은 사용자의 채무불이행이 되므로 별다른 합의가 없는 한 지연이자를 추가로 지급하여야 한다.

사용자는 근로자가 출산·질병·재해 기타 대통령령으로 정하는 비상한 경우의 비용에 충당하기 위해 임금지급을 청구하면 지급기일 전이라도 이미 제공한 근로에 대한 임금을 지급하여야 한다.

<그림22> 임금의 개념

임금의 개념

 근로기준법 제2조 제1항
임금이란 사용자가 근로의 대가로
근로자에게 임금, 봉급, 그 밖에 어떠한 명칭으로든지 지급하는 일체의 금품

☑ **사용자가 근로자에 지급하는 금품**
　• 임금을 주고 받은 사람이 근로기준법상 사용자 및 근로자여야 함

☑ **근로의 대가로 지급되는 금품**
　• 사용자에게 지급의무가 있어야 함
　• 근로의 제공과 직접적 또는 밀접한 관련이 있어야 함

근로의 대가로 지급된 임금으로 보기 어려운 금품
　• 사용자가 지급하지 않은 금품 (예: 고객이 자의로 지급한 봉사료)
　• 호의적·은혜적 금품
　• 실비변상으로 지급되는 금품
　• 개별근로자의 특수하고 우연적인 사정에 의하여 좌우되는 금품

출처 : 소규모 사업장을 위한 7가지 노른자 노동법(고용노동부)

임금 명세서 교부 의무화

* * *

　사용자는 근로자에게 매월 1회 이상 임금을 지급해야 하며, 임금을 지급할 때마다 임금대장을 작성해야 한다. 근로기준법 제48조[34])에 따르면 회사의 임금대장 작성 의무 및 근로자에 대한 임금 명세서 교부의무를 규정하고 있다. 또한, 근로계약을 체결할 때와 임금에 관한 사항을 변경하는 경우 회사는 임금 관련 사항을 근로자에게 명시하여야 한다. 특히 임금의 구성 항목과 계산 방법 및 지급 방법에 관한 사항은 근로자에게 서면으로 교부하도록 되어

---

34) 근로기준법 제48조(임금대장 및 임금명세서)
　① 사용자는 각 사업장별로 임금대장을 작성하고 임금과 가족수당 계산의 기초가 되는 사항, 임금액, 그 밖에 대통령령으로 정하는 사항을 임금을 지급할 때마다 적어야 한다.
　② 사용자는 임금을 지급하는 때에는 근로자에게 임금의 구성항목·계산방법, 제43조제1항 단서에 따라 임금의 일부를 공제한 경우의 내역 등 대통령령으로 정하는 사항을 적은 임금명세서를 서면(「전자문서 및 전자거래 기본법」 제2조제1호에 따른 전자문서를 포함한다)으로 교부하여야 한다.

있다<그림23>.

그리고 근로자가 퇴직 후 이전 회사에 사용증명서 또는 경력증명서를 요청하는 경우가 있는데, 이 경우 이전 회사에서 지급받은 임금에 관한 사항도 요구하게 된다. 근로기준법[35])에서는 근로자가 30일 이상 근무했고, 퇴직한지 3년이 지나지 않은 시점에서, 재취업을 목적으로 요구하는 경우에는 반드시 증명서를 즉시 발급해 주도록 하고 있다. 회사는 근로기준법[36])에 따라 임금대장을 3년간 의무적으로 보존해야 한다.

임금대장은 사업의 종류와 규모를 불문하고 각 회사별로 작성해야 한다. 작성 방법과 관련하여 서면으로 작성하는 방식뿐만 아니라, 임금대장을 전자문서로 보존하고 필요시 언제라도 출력하여 사용이 가능하다면 법 위반이 아니다.

임금대장에는 ① 성명, ② 주민등록번호, ③ 고용연월일, ④ 종사하는 업무, ⑤ 임금 및 가족수당의 계산 기초가 되는 사항, ⑥ 근로일 수, ⑦ 근로시간 수, ⑧ 연장근로, 야간근로 또는 휴일근로를 시킨 경우에는 그 시간 수, ⑨ 기본급, 수당, 그 밖의 임금의 내

---

35) 근로기준법 제39조(사용증명서)
① 사용자는 근로자가 퇴직한 후라도 사용 기간, 업무 종류, 지위와 임금, 그 밖에 필요한 사항에 관한 증명서를 청구하면 사실대로 적은 증명서를 즉시 내주어야 한다.
② 제1항의 증명서에는 근로자가 요구한 사항만을 적어야 한다.

36) 근로기준법 제42조(계약 서류의 보존)
사용자는 근로자 명부와 대통령령으로 정하는 근로계약에 관한 중요한 서류를 3년간 보존하여야 한다

역별 금액(통화 이외의 것으로 지급된 임금이 있는 경우에는 그 품명 및 수량과 평가 총액), ⑩ 임금의 일부를 공제하는 경우 그 금액이 반드시 포함되어야 하며, 사용 기간이 30일 미만인 일용직 근로자의 경우 ②와 ⑤의 사항을 제외할 수 있다.

또한 상시 4명 이하를 사용하는 근로자와 근로기준법 제63조(근로시간 적용 제외)에 의한 근로자에 대해서는 ⑦~⑧의 사항을 제외할 수 있다.

회사가 임금대장을 작성하지 않았거나 필요한 기재사항을 기입하지 않은 경우에는 500만원 이하의 과태료가 부과된다.

<그림23> 임금명세서 교부 의무화

임금명세서 교부 의무화
('21.11.19. 시행)

근로기준법 제48조제2항

사용자는 임금을 지급하는 때에는 근로자에게 임금의 구성항목 · 계산방법, 제43조제1항 단서에 따라 임금의 일부를 공제한 경우의 내역 등 대통령령으로 정하는 사항을 적은 임금명세서를 서면(「전자문서 및 전자거래 기본법」 제2조제1호에 따른 전자문서를 포함)으로 교부하여야 함

☑ 임금명세서 기재사항(근로기준법 시행령 제27조의2)

• 근로자 특정 정보(성명, 생년월일 등), 임금지급일, 임금총액, 임금항목별 금액, **임금항목별 금액**이 출근일수·시간 등에 따라 달라지는 경우 그 계산방법, 제43조 단서조항에 따라 공제한 내역

☑ 임금명세서 교부방법

• 사내전산망에 임금명세서를 입력하거나 이메일, 문자메시지, SNS 등을 통해 전송하는 것도 가능

출처 : 소규모 사업장을 위한 7가지 노른자 노동법(고용노동부)

통상임금 / 평균임금

＊ ＊ ＊

근로기준법은 임금, 통상임금, 평균임금 등 3가지 형태의 임금개념을 규정하고 있는데, 임금은 ① 근로기준법을 통해 보호하려는 대상을 정하는 의미뿐만 아니라, ② 퇴직급여·가산금 등 여러 임금제도의 산정기초가 되는 평균임금 및 통상임금 개념 및 그 범위를 정하는 전제가 되며, ③ 아울러 산업재해보상보험법, 고용보험법 등의 사회보장법 영역에서도 임금을 준용하고 있기 때문에 임금의 범위를 정하는 것은 중요한 의미가 있다.

평균임금

평균임금이란 이를 산정하여야 할 사유가 발생한 날 이전 3개월 동안에 그 근로자에게 지급된 임금의 총액을 그 기간의 총일수로 나눈 금액을 말한다. 평균임금은 퇴직급여(제34조), 휴업수당(제46조), 연차유급휴가수당(제60조 제5항), 재해보상금(제79조, 제80조, 제82조~제85조)과 제재로서의 감급액(제95조)을 산출하는 기초가 된다.

평균임금을 산출하는 경우 기산일은 평균임금을 산정하여야 할 사유가 발생한 날로서 법상 평균임금으로 산출하여야 할 각종 급여를 지급하거나 감액할 사유가 발생한 날을 의미한다. 기간의 총일수는 지급사유가 발생한 날 이전 3개월간이며, 이는 역법에 의한 총일수를 말한다. 취업후 3개월 미만인 경우 그 기간 중에 지급된 임금의 총액을 취업한 후의 전 기간으로 나누어 산정한다. 근로자에 지급된 임금총액은 당해 기간 중에 근로의 대가인 임금총액으로서 실제로 지급된 임금뿐만 아니라 지급되지 않았더라도 사유발생일에 이미 채권으로 확정된 임금이 있으면 이를 모두 포함한다. 임금인상률이 퇴직일 이전으로 소급하여 적용되는 경우 특별한 정함이 없으면 임금교섭 타결 이전에 퇴직한 근로자에게는 적용되지 않는다.

근로기준법 등에서 평균임금에서 공제되는 기간을 규정하고 있는데 사용자의 귀책사유로 인하여 휴업한 기간(제46조), 산전후 휴가기간(제74조), 업무수행으로 인한 부상 또는 질병을 위하여 휴업한 기간(제79조), 육아휴직기간(남녀고용평등법 제11조), 쟁의행위기간(노동조합법 제2조 제6호), 병역법, 향토예비군설치법 또는 민방위기본법에 의한 의무이행을 위하여 휴직하거나 근로하지 못한기간, 업무외 부상 또는 질병으로 인하여 사용자 승인을 얻어 휴업한 기간은 평균임금에서 공제된다.

임금의 총액을 계산할 때에는 해외근무수당, 교통비, 자가운전비 등 임시로 지급된 임금 및 수당과 통화 외의 것으로 지급된 임금을 포함하지 아니한다.

일용근로자의 경우 고용노동부장관이 사업이나 직업에 따라 정하는 금액을 평균임금으로 한다. 퇴직한지 3년이 경과하여 평균임금 산정을 위한 임금대장 등 기초 자료가 없어서 산정이 곤란할 경우에는 사유가 발생한 날이 속하는 달의 퇴직 당시 동종 근로자의 통상임금을 평균임금으로 산정한다. 취업한 당일 업무상 부상등으로 평균임금 산정사유가 발생한 경우 근로자에게 일정액의 임금지급이 정해진 경우에는 그 임금액을, 그렇지 아니한 경우에는그 날 당해 사업장에서 동일한 업무에 종사한 근로자의 평균임금으로 산정한다. 퇴직금을 많이 받을 목적으로 비정상적인 연장근로를 과도하게 한 경우 특별한 사정이 없는 한 평균임금 산정기준은그 기간을 제외한 직전 3개월의 평균임금을 기준으로 한다.

통상임금

통상임금이란 근로자에게 정기적이고 일률적으로 소정근로 또는 총근로에 대해 지급하기로 정한 시간급금액·일급금액·주급금액·월급금액 또는 도급금액을 말한다.

통상임금은 정기적·일률적으로 지급되는 고정적인 임금으로서 평균임금의 산정(제2조 제2항), 해고예고수당(제26조 제1항), 시간외·야간·휴일근로 가산금(제56조), 산전후휴가수당(제74조)등을 산출하는 기초가 된다.

통상임금의 산정은 지급하기로 정하여진 고정적이고 평균적인 일반 임금을 대상으로 한다. 고정적이란 일정한 기술·자격 등 소지자, 특수작업 등에 고정적으로 종사하는 근로자에게 지급되는 것이다. 일률적이라 함은 모든 근로자가 아니라 일정요건에 해당하는 근로자에게 지급되는 것을 말하며, 전 근로자에게 일률적으로 지급되는 가족수당 등은 통상임금 산정의 기초가 된다. 정기적 급여란 일정한 시간적인 단위를 기준으로 삼아 정기적으로 임금이지급되어지는 단위를 의미한다.

시간급금액으로 정한 임금에 대하여는 그 금액을, 일급금액으로 정한 임금에 대하여는 그 금액을 1일의 소정근로시간수로 나눈 금액을, 월급금액으로 정한 임금은 그 금액을 월의 통상임금 산정 기준 시간수로 나눈 금액으로 산정하고, 일급금액으로 산정할 경우 시간급금액에 1일의 소정근로시간수를 곱하여 계산한다<그림24>.

<그림24> 통상임금 VS 평균임금

통상임금 VS 평균임금

	통상임금	평균임금
정 의	• 근로자에게 정기적이고 일률적으로 소정근로 또는 총 근로에 대하여 지급하기로 정한 시간급, 일급, 주급, 월급 또는 도급 금액을 말함	• 산정하여야 할 사유가 발생한 날 이전 3개월 동안 그 근로자에게 지급된 임금의 총액을 그 기간의 총일수로 나눈 금액을 말함
근거법령	• 근로기준법 시행령 제6조	• 근로기준법 제2조 제1항 제6호
산정방법	• 시간급 산정이 원칙, 일급·주급·월급은 시간급 환산 시간급 = $\dfrac{\text{월급으로 정한 임금}}{\text{월의 통상임금 산정 기준시간 수}}$	평균임금 = $\dfrac{\text{사유가 발생한 날 이전}}{\text{사유가 발생한 날 이전}}$ $\dfrac{\text{3월간의 임금총액}}{\text{3월간의 총일수}}$
산정의 기초로 지급되는 경우	• 해고예고수당 • 휴일·연장·야간근로수당 (5인 이상 적용) • 산전후 휴가수당	• 퇴직금 • 휴업보상·장해보상·유족보상
	휴업수당 (평균임금의 70% 또는 통상임금, 5인 이상 적용) 연차휴가수당 (평균임금 또는 통상임금, 5인 이상 적용)	

출처 : 소규모 사업장을 위한 7가지 노른자 노동법(고용노동부)

최저임금

***

최저임금제는 국가가 임금액의 최저한도를 정하여 사용자에게 이에 대한 준수의무를 법적으로 강제하는 제도이다. 근로계약 당사자인 근로자와 회사간의 협상의 불균형으로 인해 임금 결정을 자율로 맡기면 저임금문제가 발생할 수 있어서 임금은 근로자와 회사가 자율적으로 정하지만, 매년 정부에서 고시하는 최저임금액 이상이 되어야 한다.

최저임금제도는 상시 1인 이상 근로자를 사용하는 사업장에 적용된다. 다만, 동거하는 친족만을 사용하는 사업과 가사사용인 및 선원법의 적용을 받는 선원과 선원을 사용하는 선박의 소유자에게는 적용되지 않는다. 또한 정신·신체상의 장애로 근로능력이 현저히 낮은 자로서 회사가 고용노동부장관의 인가를 받은 경우에도 적용이 제외된다. 그리고 1년 이상의 근로계약을 체결한 수습 근로자에 대해서는 최초 3개월간 최저임금액의 10% 감액적용이 가능하지만, 단순 노무 업무로 고용노동부장관이 정하여 고시한 직종에 종사하는 근로자에 대해서는 감액할 수 없다.

최저임금은 근로자의 생계비, 유사근로자의 임금 및 노동생산성을 고려하여 사업의 종류별로 구분하여 정한다. 최저임금의 결정권자는 고용노동부장관이며, 최저임금은 매년 4~6월 최저임금위원회의 심의를 거쳐 8월 5일까지 최저임금이 결정되고 이에 따라 다음연도 1월 1일부터 12월 31일까지 적용이 되고 있다. 최저임금은 2019년 8,350원에서 2020년에는 8,590원, 2021년에는 8,720원, 2022년에는 9,160원, 2023년에는 9,620원, 2024년에는 9,860원으로 지속적으로 상승해 왔다.

최저임금 위반여부에 대한 판단은 근로자에게 지급한 임금총액 기준이 아니다. ① 근로자가 지급받는 임금 총액에서 최저임금에 포함되는 임금만을 합산한 이후, 이를 ② 시간당 임금으로 환산하고, ③ 최저임금법에 따라 고시된 당해 연도 최저시급액과 비교해야 한다. 최저임금을 산정할 때 포함되는 임금은 매월 정기적·일률적으로 지급되는 기본급과 고정적인 수당이다. 제외되는 것은 ① 1개월을 초과하여 지급되는 임금과 ②정해진 근로일과 근무시간 외의 근로에 대한 임금 및 ③통화 이외의 것으로 지급되는 생활보조, 복리후생성 임금, ④ 산정 단위가 1개월을 초과하는 매월 지급 상여금과 통화로 지급되는 생활보조, 복리후생성 임금 중 최저임금 월 환산 특례금액보다 적은 금액 등이다.

최저임금법 위반 여부에 대한 판단은 '주' 또는 '월'단위로 정해진 임금을 시간당 임금으로 환산하여 비교해야 하는데, 이 때 주급 또는 월급을 나누는 시간수를 '최저임금 적용 기준 시간 수'라고 한다. 임금 산정 유형별 최저임금 위반 여부에 대한 판단 방법은 다음과 같다.

① 일급은 그 금액을 1일의 소정근로시간 수로 나눈 금액과 최저시급을 비교한다.

② 주 단위로 정해진 임금은 그 금액을 1주의 최저임금 적용 기준 시간 수(1주 동안의 소정 근로시간 수와 근로기준법에 따라 유급으로 처리되는 주휴일 시간 수를 합산한 시간 수)로 나눈 금액과 최저시급을 비교한다.

③ 월 단위로 정해진 임금은 그 금액을 1개월의 최저임금 적용 기준 시간 수(1주의 최저임금 적용 기준 시간 수에 1년 동안의 평균적인 주의 수(52주)를 곱한 시간을 12개월로 나눈 시간 수)로 나눈 금액과 최저시급을 비교한다.

최저임금 적용 기준 시간 수에는 유급휴일시간 중 법정 주휴시간만 포함되고, 그 외의 법정 휴일시간 및 약정 유급휴일 시간은 최저임금 적용 기준 시간 수에 포함되지 않는다. 따라서 최저임금 산정 시 포함되는 임금과 관련하여 주휴수당은 임금 총액에 포함을 하지만, 약정 유급휴일에 대한 임금은 제외한다.

Ex) 소정근로시간 1일 8시간, 1주 40시간

① 주휴일 1일인 경우 최저임금 적용 기준 시간 수

(40H+8H)×365일÷7일÷12월 = 208.57시간

② 주휴일 1일, 약정유급휴일 1일 8시간인 경우 최저임금 적용 기준 시간 수

(40H+8H)×365일÷7일÷12월 = 208.57시간

매주 일정 시간의 약정 유급휴일이 있는 경우(예: 매주 토요일 4시간 또는 8시간 약정 유급휴일로 한 경우)에는 최저임금에 포함되는 임금과 최저임금 적용 기준 시간 수 모두에서 제외한다.

Ex) 소정근로시간 1일 7시간, 1주 35시간

① 주휴일 1일인 경우 최저임금 적용 기준 시간 수

(35H+7H)×365일÷7일÷12월 = 182.5시간

② 주휴일 1일, 약정유급휴일 1일 4시간인 경우 최저임금 적용 기준 시간 수

(35H+7H)×365일÷7일÷12월 = 182.5시간

유급으로 처리되는 법정 주휴시간이 최저임금 적용 기준 시간 수에 포함되므로, 결근 등으로 인하여 법정 주휴수당이 미지급된 경우에는 최저임금 적용기준 시간 수에서 제외를 해야 하고, 주휴일이 적용되지 않는 초단시간근로자(4주간을 평균하여 1주 소정근로시간이 15시간 미만)에 대해서는 최저임금 적용 기준 시간 수에

서 법정 주휴시간을 제외한다.

Ex) 초단시간근로자로서 1일 2시간, 1주 10시간 근로하고, 월급 80만원을 받는 단시간 근로자의 경우(약정 유급휴일은 없음)

최저임금 적용 기준 시간 수 : 10H×365일÷7일÷12월=43.45시간

시간당 임금 : 80만원÷43.45시간 = 18,411원

최저임금 위반 여부를 판단할 때 기준이 되는 최저임금 월 환산 특례금액은 해당 연도 최저시급에 1개월의 최저임금 저용 기준 시간 수[(1주 소정근로시간+1주 법정주휴시간)×1년 동안의 평균 주 수(365÷7일)÷12월]을 곱하여 산정한다<그림25>.

<그림25> 최저임금 이해를 위한 키워드 3가지

최저임금 이해를 위한 키워드 3가지

소정근로시간	법정근로시간 안에서 당사자 간 약정한 시간 1일 8시간, 1주 40시간 안에서 정한 시간을 의미
최저임금 적용기준시간 수	주·월급을 시간급으로 환산할 때 주·월급을 나누는 시간 수로, 1주 소정근로시간 40시간인 경우 '1개월의 최저임금 적용기준 시간 수'는 208.57시간 (약 209시간)
월 환산액	해당 연도 시간급 최저임금액('22년의 경우 9,160원)에 '1개월의 최저임금 적용기준시간 수'를 곱한 금액

참고

산정단위기간	상여금 등의 임금을 정하는 단위로, 상여금 등을 1년 단위로 산정하는지 매월 단위로 산정하는지에 따라 최저임금 산입 비율이 달라짐
지급주기	임금을 지급하는 주기로, 매월 지급하는지 격월로 지급하는지에 따라 최저임금 산입 여부 결정

출처 : 소규모 사업장을 위한 7가지 노른자 노동법(고용노동부)

제3장 재직 단계

직장 내 괴롭힘 금지,
성희롱 예방 & 모성보호
CHAPTER 4

CHAPTER 4
직장 내 괴롭힘 금지,
성희롱 예방 & 모성보호

근로기준법 개정으로 2019년 7월 16일부터 직장내 괴롭힘이 금지되었다. 직장 내 괴롭힘을 당한 근로자는 회사 내 절차를 통해서 문제를 해결할 수 있으며, 회사의 조치가 적절하지 않을 경우 고용노동부 등에 진정을 제기할 수 있다. 또한 회사는 직장 내 성희롱 예방 교육 등의 사전적 조치를 해야할 뿐만 아니라, 직장 내 성희롱 발생시에는 관련법에 따라 조치를 취해야 한다.

직장 내 괴롭힘 금지

* * *

직장 내 괴롭힘이란 사용자 또는 근로자가 직장에서의 지위 또는 관계 등의 우위를 이용하여 업무상 적정 범위를 넘어 다른 직원에게 신체적·정신적 고통을 주거나 근무환경을 악화시키는 행위를 말한다.

직장 내 괴롭힘이 성립하기 위한 요건으로 ① 직장에서의 지위 또는 관계 등의 우위를 이용할 것, ② 업무상 적정 범위를 넘는 행위일 것, ③ 신체적 · 정신적 고통을 주거나 근무환경을 악화시켰을 것이 있다.

① 직장에서의 지위 또는 관계 등의 우위를 이용할 것과 관련하여 지위의 우위란 기본적으로 지휘명령 관계에서 상위에 있는 경우를 의미하고, 회사 내 직위 · 직급 체계상 상위에 있음을 이용하였다면 지위의 우위성을 인정할 수 있다. 관계의 우위란 개인 대 집단과 같은 수적인 측면, 나이 · 학벌 · 성별 · 출신 · 지역 · 인

종 등 인적 속성, 근속연수 · 전문지식 등 업무역량, 감사 · 인사 부서 등 업무의 직장 내 영향력, 정규직 여부와 같이 상대방이 저항하거나 거절하기 어려울 개연성이 높은 상태로 인정되는 경우를 의미한다.

② 업무상 적정 범위를 넘는 행위일 것과 관련하여 업무상 적정 범위를 넘는 행위란 그 행위가 사회 통념에 비추어 볼 때, 업무상 필요성이 인정되지 않거나, 업무상 필요성은 인정되더라도 그 행위 정도가 사회 통념에 비추어 볼 때 상당하지 않다고 인정되는 행위를 말한다.

③ 신체적 · 정신적 고통을 주거나 근무환경을 악화시켰을 것과 관련하여 행위자가 의도를 가지고 문제된 행위를 한 것이 아니더라도, 그 행위로 인하여 신체적 · 정신적 고통을 받았거나 근무환경이 악화되었다면 인정될 수 있다. 악화란 그 행위로 인하여 피해자가 능력을 발휘하는데 간과할 수 없을 정도의 지장이 발생하는 것을 의미하며, 인사권의 행사 범위에 해당되더라도 사실적으로 근로자가 업무를 수행하는데 적절한 환경조성이 아닌 경우 근무환경이 악화된 것으로 볼 수 있다<그림26>.

※ 금지되는 직장 내 괴롭힘 행위

(1) 정당한 이유없이 업무 능력이나 성과를 인정하지 않거나 조롱함

(2) 정당한 이유없이 훈련, 승진, 보상, 일상적인 대우 등에서 차별함

(3) 다른 근로자들과는 달리 특정 근로자에 대하여만 근로계약서 등에 명시되어 있지 않는 모두가 꺼리는 힘든 업무를 반복적으로 부여함

(4) 근로계약서 등에 명시되어 있지 않는 허드렛일만 시키거나 일을 거의 주지 않음

(5) 정당한 이유없이 업무와 관련된 중요한 정보제공이나 의사결정과정에서 배제시킴

(6) 정당한 이유없이 휴가나 병가, 각종 복지혜택 등을 쓰지 못하도록 압력행사

(7) 다른 근로자들과는 달리 특정 근로자의 일하거나 휴식하는 모습만을 지나치게 감시

(8) 사적 심부름 등 개인적인 일상생활과 관련된 일을 하도록 지속적,반복적으로 지시

(9) 정당한 이유없이 부서이동 또는 퇴사를 강요함

(10) 개인사에 대한 뒷담화나 소문을 퍼뜨림

(11) 신체적인 위협이나 폭력을 가함

(12) 욕설이나 위협적인 말을 함

(13) 다른 사람들 앞이나 온라인상에서 나에게 모욕감을 주는 언행을 함

(14) 의사와 상관없이 음주/흡연/회식 참여를 강요함

(15) 집단 따돌림

(16) 업무에 필요한 주요 비품(컴퓨터, 전화 등)을 주지 않거나, 인터넷·사내 네트워크 접속을 차단함

직장 내 괴롭힘 피해상담 및 처리절차와 관련하여 직장 내 괴롭힘이 발생할 경우 근로자는 회사에 우선적으로 신고해야 하며, 회사가 적절한 조치를 취하지 않거나 불이익을 주는 경우에는 고용노동부에 신고할 수 있다. 근로기준법에서 정하고 있는 직장 내 괴롭힘 관련 내용은 다음과 같다.

① 누구든지 직장 내 괴롭힘 발생 사실을 회사에 신고할 수 있다.

② 회사는 신고를 접수받거나 직장 내 괴롭힘 발생 사실을 인지한 경우에는 지체 없이 그 사실 확인을 위한 조사를 실시해야 한다.

③ 회사는 직장 내 괴롭힘 관련 조사 기간 동안 직장 내 괴롭힘과 관련하여 피해를 입은 근로자 또는 피해를 입었다고 주장하는 근로자를 보호하기 위하여 필요한 경우 해당 피해근로자 등에 대하여 근무 장소의 변경, 유급휴가 명령 등 적절한 조치를 해야 한다. 또한 회사는 피해근로자 등의 의사에 반하는 조치를 해서는 안된다.

④ 회사는 조사 결과 직장 내 괴롭힘 발생 사실이 확인된 때에는 피해근로자가 요청하면 근무 장소의 변경, 배치전환,유급휴가명령 등 적절한 조치를 해야 한다.

⑤ 회사는 조사 결과 직장 내 괴롭힘 발생사실이 확인된 때에는 지체없이 행위자에 대하여 징계, 근무장소의 변경 등 필요한 조치를 취해야 한다. 이 경우 회사가 징계 등의 조치를 하기 전에 그

조치에 대하여 피해근로자의 의견을 들어야 한다.

⑥ 회사는 직장 내 괴롭힘 발생 사실을 신고한 근로자 및 피해 근로자 등에게 해고나 그 밖의 불리한 처우를 해서는 안된다.

회사가 직장 내 괴롭힘 발생 사실에 대한 신고나 주장을 이유로 해고 등 불이익한 조치를 할 경우 3년 이하의 징역 또는 3천만원 이하의 벌금이 부과되며, 민사적으로도 불법행위가 성립하여 손해 배상책임을 지게 된다<그림27>.

<그림26> 직장 내 괴롭힘 금지

직장 내 괴롭힘 금지

직장 내 괴롭힘이란 (근로기준법 제76조의2)

사용자(친족인 근로자) 괴롭힘 → 1천만원 이하 과태료

직장 내의 지위 또는 관계 등의 우위를 이용하여 **업무상 적정 범위를 넘어** 다른 근로자에게 **신체적·정신적 고통을 주거나 근무환경을 악화시키는 행위**

직장내 괴롭힘 성립요건

직장 내의 지위 또는 관계 등의 우위를 이용
(지위의 우위)지휘명령 관계 또는 직위·직급 체계상 상위에 있는 경우
(관계의 우위) 수적인 측면, 인적 속성, 직장내 영향력 등으로 인정 가능

업무상 적정 범위를 넘을 것
업무상 필요성이 인정되지 않거나, 행위 양태가 사회 통념에 비추어 볼 때 상당하지 않다고 인정되어야 함

신체적·정신적 고통을 주거나 근무환경을 악화시키는 행위
행위자의 의도 불문, 그 행위로 인해 피해자가 능력을 발휘하는데 상당한 지장이 발생할 것

출처 : 소규모 사업장을 위한 7가지 노른자 노동법(고용노동부)

<그림27>직장 내 괴롭힘 발생시 사용자 조치 의무

직장 내 괴롭힘 금지

직장 내 괴롭힘 발생 시 사용자 조치 의무

> 500만원 이하 과태료

- 신고 접수 또는 인지 시, 지체 없이 당사자 등 대상으로 객관적으로 **사실확인 조사**
- 조사기간 중 피해 근로자 보호를 위해 필요한 경우 **근무장소 변경, 유급휴가명령** 등 적절한 조치(피해자의 의사에 반하는 조치 금지)
- 조사결과 직장 내 괴롭힘에 해당할 경우 **피해자가 요청**하면 **근무장소 변경, 배치전환, 유급휴가명령** 등 적절한 조치를 취할 것 `500만원 이하 과태료`
- 조사결과 직장 내 괴롭힘에 해당할 경우 **가해자 징계, 근무장소 변경** 등 필요한 조치, 이 경우 징계 등 조치 전에 **피해근로자의 의견**을 들을 것 `500만원 이하 과태료`
- 조사 과정 중 알게 된 비밀 누설 금지 (조사 내용 사용자 보고 및 관계 기관에 요청에 따른 제공은 제외) `500만원 이하 과태료`
- 피해 근로자 및 신고자에게 해고나 그 밖의 불리한 처우 금지 `3년 이하 징역 또는 3천만원 이하의 벌금`

출처 : 소규모 사업장을 위한 7가지 노른자 노동법(고용노동부)

직장 내 성희롱 예방

* * *

직장 내 성희롱이란 사업주·상급자 또는 근로자가 직장 내의 지위를 이용하거나 업무와 관련하여 다른 근로자에게 성적 언동 등으로 성적 굴욕감 또는 혐오감을 느끼게 하거나 성적 언동 또는 그 밖의 요구 등에 따르지 아니하였다는 이유로 근로조건 및 고용에서 불이익을 주는 것을 말한다.

직장 내 성희롱이 성립하기 위한 요건으로 ① 직장 내의 지위를 이용하거나 업무와 관련하여 이루어질 것, ② 피해자가 원하지 않는 행위일 것, ③ 성적인 언동일 것, ④ 성희롱 행위로 인한 피해의 내용이 있을 것이 있다.

① 직장 내의 지위를 이용하거나 업무와 관련하여 이루어질 것과 관련하여 업무 관련성은 근무시간이 아닌 경우나 근무 장소 밖에서 발생한 것도 인정될 수 있다. 사업주 · 상급자 또는 근로자가 직장 내의 지위를 이용하거나 업무와 관련이 있는 경우라면 회사

밖에서 근무시간 외에 성희롱을 한 경우에도 직장 내 성희롱에 해당될 수 있다.

② 피해자가 원하지 않는 행위일 것과 관련하여 상대방이 원하지 않는 행동이란, 상대방이 명시적으로 거부 의사를 표현한 경우뿐만 아니라, 적극적으로나 소극적으로 또는 묵시적으로 거부하는 경우도 포함된다. 즉, 행위자의 성적 언동에 대해 직접적으로 분명하게 거부해야만 성희롱이 성립되는 것은 아니다. 예를 들어 피해자가 사회경험이 부족해서 성희롱 상황에서 어떻게 대처해야 하는지 모르거나 또는 행위자가 고위 직급이거나 피해자의 근로조건을 결정하는 등 강력한 권한을 가지고 있는 자이기 때문에 거부 의사를 표현하기 어려운 경우와 같이 명시적으로 거부 의사를 표현하지 못하는 경우도 해당된다.

③ 성적인 언동일 것과 관련하여 성적인 언동은 육체적 · 언어적 · 시각적 기타 행위로 분류될 수 있다. 성적 언동이 단 1회라도 직장 내 성희롱이 성립될 수 있으며, 특정인을 염두에 두지 않은 언동이라도 그것이 다른 사람에게 성적 굴욕감이나 혐오감을 준다면 직장 내 성희롱이 된다.

④ 성희롱 행위로 인한 피해의 내용이 있을 것과 관련하여 성희롱 행위로 인한 피해란 성적 굴욕감 또는 혐오감을 느끼게 하거나 성적 언동 또는 그 밖의 요구에 불응한 것을 이유로 고용상의 불이익을 주는 것을 말한다. 성적 굴욕감 또는 혐오감이란 성적 언동으로 인하여 상대방(피해자)이 느끼게 되는 불쾌한 감정을 말한다. 다만 피해자가 주관적으로 굴욕감 또는 혐오감을 느꼈다는 것만으

로는 부족하고, 객관적으로 피해자와 같은 처지에 있는 일반적이고
도 평균적인 사람을 기준으로 성적 굴욕감이나 혐오감을 느끼게
하는 행위여야 한다. 고용상의 불이익을 주는 경우란 승진 탈락,
징계, 전직, 휴직 등과 같이 채용 또는 근로조건을 불리하게 하는
것을 말한다<그림28>.

3. 성희롱 판단을 위한 기준의 예시
(1) 성적인 언어나 행동에 의한 성희롱 예시
　　가. 육체적 행위

　　　　① 입맞춤이나 포옹,뒤에서 껴안는 등의 신체적 접촉행위
　　　　② 가슴, 엉덩이 등 특정 신체부위를 만지는 행위
　　　　③ 안마나 애무를 강요하는 행위

　　나. 언어적 행위

　　　　① 음란한 농담을 하거나 음탕하고 상스러운 이야기를 하
는 행위(전화통화 포함)
　　　　② 외모에 대한 성적인 비유나 평가를 하는 행위
　　　　③ 성적 사실관계를 묻거나 성적인 내용의 정보를 의도적
으로 유포하는 행위
　　　　④ 성적인 관계를 강요하거나 회유하는 행위
　　　　⑤ 회식자리 등에서 무리하게 옆에 앉혀 술을 따르도록
강요하는 행위

　　다. 시각적 행위

　　　　① 음란한 사진, 그림, 낙서, 출판물 등을 게시하거나 보

여주는 행위(컴퓨터통신이나 팩시밀리 등을 이용하는 경우 포함)

② 성과 관련된 자신의 특정 신체부위를 고의적으로 노출시키거나 만지는 행위

라. 기타 사회통념상 성적 굴욕감을 유발하는 것으로 인정되는 언어나 행동

(2) 근로조건 및 고용상의 불이익을 주는 것의 예시

채용탈락, 감봉, 승진탈락, 전직, 정직, 휴직, 해고 등과 같이 채용 또는 근로조건을 일방적

으로 불리하게 하는 것

(3) 고용환경을 악화시키는 것의 예시

위협적, 적대적인 고용환경을 형성하거나 성적 굴욕감으로 업무능률을 저해하는 것

(4) 기타

성희롱 여부의 판단은 피해자의 주관적 사정을 고려하되, 사회통념상 합리적인 사람이 피해자의 입장이라면 문제가 되는 행동에 대하여 어떻게 판단하고 대응하였을 것인가를 함께 고려해야 한다.

직장 내 성희롱 피해상담 및 처리절차와 관련하여 누구든지 직장 내 성희롱 발생사실을 알게 된 경우 회사에 신고할 수 있으며, 회사가 적절한 조치를 취하지 않거나 불이익을 주는 경우에는 고용노동부에 신고할 수 있다. 남녀고용평등과 일·가정 양립 지원에 관한 법률에서 정하고 있는 직장 내 성희롱 관련 내용은 다음과

같다.

① 누구든지 직장 내 성희롱 발생 사실을 알게 된 경우 회사에 신고할 수 있다.

② 회사는 신고를 접수받거나 직장 내 성희롱 발생 사실을 인지한 경우에는 지체 없이 그 사실 확인을 위한 조사를 실시해야 한다.

③ 회사는 직장 내 성희롱 관련 조사 기간 동안 직장 내 성희롱과 관련하여 피해를 입은 근로자 또는 피해를 입었다고 주장하는 근로자를 보호하기 위하여 필요한 경우 해당 피해근로자 등에 대하여 근무 장소의 변경, 유급휴가 명령 등 적절한 조치를 해야 한다. 또한 회사는 피해근로자 등의 의사에 반하는 조치를 해서는 안된다.

④ 회사는 조사 결과 직장 내 성희롱 발생 사실이 확인된 때에는 피해근로자가 요청하면 근무 장소의 변경, 배치전환, 유급휴가 명령 등 적절한 조치를 해야 한다.

⑤ 회사는 조사 결과 직장 내 성희롱 발생사실이 확인된 때에는 지체없이 행위자에 대하여 징계, 근무장소의 변경 등 필요한 조치를 취해야 한다. 이 경우 회사가 징계 등의 조치를 하기 전에 그 조치에 대하여 피해근로자의 의견을 들어야 한다.

⑥ 회사는 직장 내 성희롱 발생 사실을 신고한 근로자 및 피해근로자 등에게 해고나 그 밖의 불리한 처우를 해서는 안된다<그림 29>.

<그림28> 직장 내 성희롱 예방

직장 내 성희롱 예방

직장 내 성희롱이란 (남녀고평법 제2조)

직장 내의 지위를 이용하거나 업무와 관련하여 다른 근로자에게
성적인 언동 등으로 성적굴욕감 또는 혐오감을 느끼게 하거나, 성적언동 및
기타 요구에 대한 불응을 이유로 근로조건 및 고용상의 불이익을 주는 것

**직장내
성희롱
성립요건**

직장 내의 지위를 이용하거나 업무와 관련

직장 내의 지위를 이용하거나 업무와 관련이 있는 경우라면
사업장 밖이나 근무시간 외에도 성립

성적인 언어나 행동 등을 조건으로 한 고용상의 불이익

성적 언동이나 성적 요구에 불응한 것을 이유로
근로조건을 일방적으로 불리하게 하는 경우

성적 굴욕감 또는 혐오감 유발

성적 굴욕감 유발 여부의 판단은 피해자의 주관적인 사정을 고려하되,
사회통념상 합리적인 사람이 피해자의 입장이라면 취했을 판단과 대응을 함께 고려

출처 : 소규모 사업장을 위한 7가지 노른자 노동법(고용노동부)

<그림29> 직장 내 성희롱 발생시 사업주의 조치 의무

직장 내 성희롱 예방

직장 내 성희롱 발생 시 사업주의 조치 의무

- 신고 접수 또는 인지 시, 지체 없이 사실확인 조사
- 피해 근로자 요청시 적절한 조치
- 행위자에 대한 징계 등 조치
- 조사과정에서 알게 된 비밀 등 누설 금지

위반 시 500만원 이하의 과태료

- 피해 근로자 및 신고자에 불리한 처우 금지

3년 이하 징역 또는 3천만원 이하의 벌금

직장 내 성희롱 예방 조치

핵심 포인트

- **직장 내 성희롱 예방교육 연 1회 이상 실시**
  * 10인미만 사업장 또는 동성으로만 이루어진 사업장은 교육에 갈음하여 교육자료를 사업장에 게시 및 배포 가능
    ⇒ 위반시 500만원 이하의 과태료
- **300인 미만 사업장에는 지방노동관서에서 교육강사 무료 지원**
  단, 100인 이상-300인 미만 사업장은 연 1회를 초과한 교육에 대해 지원
- **인사규정 등에 징계조치 및 절차 등 규정**

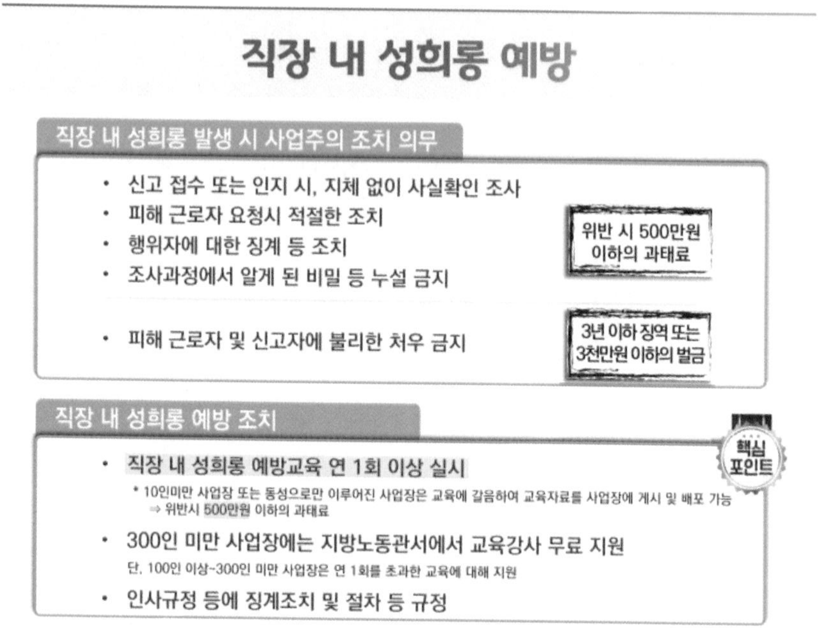

출처 : 소규모 사업장을 위한 7가지 노른자 노동법(고용노동부)

모성보호제도

＊ ＊ ＊

　여성근로자는 신체적 · 생리적인 특성과 실질적 가사노동 부담자라는 측면에서 특별보호가 필요하기 때문에 모성보호 및 가정과 직장생활의 조화 측면에서 보호되어야 한다. 여기서 모성보호란 여성근로자는 임신, 출산, 수유 등과 같은 남자에게 없는 모성기능을 가지고 있기 때문에 특별히 행해지는 제반보호조치를 말한다. 근로기준법상 생리휴가, 산전후휴가, 육아시간, 유해작업 및 야업 금지 그리고 연장근로시간의 제한 등이 그 구체적 예이다. 이하에서는 근로기준법상의 제반 보호방안에 대하여 알아보기로 한다.

근로시간의 제한

시간외 근로의 제한

근로기준법 제71조[37])에 따르면 사용자는 산후 1년이 지나지 않은 여성에 대해서는 단체협약이 있는 경우라도 1일에 2시간, 1주일에 6시간 1년에 150시간을 초과하는 시간외의 근로를 시키지 못한다. 또한 임신중인 여성근로자의 경우 어떠한 경우에도 시간외 근로를 시킬 수 없다. 이는 여성근로자의 신체적·생리적 조건을 고려하고 모성보호의 측면에서 근로시간을 제한할 필요가 있기 때문이다.

야간·휴일근로의 제한

근로기준법 제70조[38])에 따르면 사용자는 임산부와 18세 미만자를 오후 10시부터 오전 6시까지의 시간 및 휴일에 근로시키지 못

---

37) **근로기준법 제71조(시간외근로)** 사용자는 산후 1년이 지나지 아니한 여성에 대하여는 단체협약이 있는 경우라도 1일에 2시간, 1주에 6시간, 1년에 150시간을 초과하는 시간외근로를 시키지 못한다.

38) **근로기준법 제70조(야간근로와 휴일근로의 제한)** ① 사용자는 18세 이상의 여성을 오후 10시부터 오전 6시까지의 시간 및 휴일에 근로시키려면 그 근로자의 동의를 받아야 한다.
② 사용자는 임산부와 18세 미만자를 오후 10시부터 오전 6시까지의 시간 및 휴일에 근로시키지 못한다. 다만, 다음 각 호의 어느 하나에 해당하는 경우로서 고용노동부장관의 인가를 받으면 그러하지 아니하다.
   1. 18세 미만자의 동의가 있는 경우
   2. 산후 1년이 지나지 아니한 여성의 동의가 있는 경우
   3. 임신 중의 여성이 명시적으로 청구하는 경우

한다. 다만, 다음 각 호의 어느 하나에 해당하는 경우로서 고용노동부장관의 인가를 받으면 그렇지 않다.

1. 18세 미만자의 동의가 있는 경우
2. 산후 1년이 지나지 않은 여성의 동의가 있는 경우
3. 임신중의 여성이 명시적으로 청구하는 경우

야간 · 휴일 근로의 경우 일반근로자에 비해 신체적으로 약한 임산부와 18세 미만자의 충분한 휴식을 보장하기 위해서 일정한 요건을 갖출 경우에만 근로를 가능하게 하는 것이다. 야간근로의 범위는 하오 10시부터 상오 6시까지의 근로를 말한다. 여기서의 휴일은 주휴일뿐만 아니라 약정휴일, 연차유급휴가일 등도 포함된다고 해석한다.

생리휴가

근로기준법 제73조[39])에 따르면 사용자는 여성근로자가 청구하면 월1일의 생리휴가를 주어야 한다. 여성에 특유한 생리시의 정신적 육체적인 영향을 고려하여 여성의 건강을 보호하고 작업능률의 저하를 방지하려는 데 그 취지가 있다.

생리휴가는 월1일의 무급휴가를 주도록 규정하고 있으므로 단체협약 등에 달리 정한 바가 없다면 휴가사용일에 대하여 임금을 지급할 의무는 없다. 사용자는 여성근로자가 청구한 때에 생리휴가를

---

39) **근로기준법 제73조(생리휴가)** 사용자는 여성 근로자가 청구하면 월 1일의 생리휴가를 주어야 한다.

주어야 한다. 근로의 종류와 관계없이 상용근로자뿐만 아니라 일용근로자 · 임시직근로자 · 단시간근로자에게도 적용된다.

생리휴가는 근로의무가 있는 날에 근로자의 청구로서 그 의무가 면제되는 휴가이므로 생리휴가를 사용하지 않고 근로를 한 경우에는 통상임금만 지급하면 되고, 해당 근로자는 근로기준법 제56조에 의한 가산금을 청구할 수 없다.

생리휴가를 사용하더라도 주휴일 또는 연차휴가 등을 부여하기 위한 소정근로일수 및 출근율 산정시 소정근로일수에 포함하고 그 날은 출근한 것으로 보아야 할 것이다.

생리휴가청구권은 생리휴가를 사용하지 아니한 그 달이 경과하면 적치되지 않고 자동소멸된다.

임산부의 보호휴가

임산부의 보호휴가란 출산으로 인하여 손상된 모체의 건강을 회복할 수 있도록 일정기간동안 휴양할 수 있도록 하는 제도로서 모성보호와 다음 세대의 건강한 국민을 확보하려는 데 그 취지가 있다. 임산부의 보호휴가는 법률상 1인 이상 사업장의 여성근로자이면 임시직 · 일용직 · 정규직 · 비정규직 등 근로계약의 형태와 관계없이 누구든지 사용할 수 있다.

산전 · 후 보호휴가

근로기준법 제74조[40]에서는 임신중인 여성근로자에게 출산 전과

---

40) **근로기준법 제74조(임산부의 보호)** ① 사용자는 임신 중의 여성에게
출산 전과 출산 후를 통하여 90일(한 번에 둘 이상 자녀를 임신한
경우에는 120일)의 출산전후휴가를 주어야 한다. 이 경우 휴가 기간
의 배정은 출산 후에 45일(한 번에 둘 이상 자녀를 임신한 경우에는
60일) 이상이 되어야 한다.
② 사용자는 임신 중인 여성 근로자가 유산의 경험 등 대통령령으로
정하는 사유로 제1항의 휴가를 청구하는 경우 출산 전 어느 때 라도
휴가를 나누어 사용할 수 있도록 하여야 한다. 이 경우 출산 후의 휴
가 기간은 연속하여 45일(한 번에 둘 이상 자녀를 임신한 경우에는
60일) 이상이 되어야 한다.
③ 사용자는 임신 중인 여성이 유산 또는 사산한 경우로서 그 근로자
가 청구하면 대통령령으로 정하는 바에 따라 유산 · 사산 휴가를 주어
야 한다. 다만, 인공 임신중절 수술(「모자보건법」 제14조제1항에 따른
경우는 제외한다)에 따른 유산의 경우는 그러하지 아니하다.
④ 제1항부터 제3항까지의 규정에 따른 휴가 중 최초 60일(한 번에
둘 이상 자녀를 임신한 경우에는 75일)은 유급으로 한다. 다만, 「남녀
고용평등과 일 · 가정 양립 지원에 관한 법률」 제18조에 따라 출산전
후휴가급여 등이 지급된 경우에는 그 금액의 한도에서 지급의 책임을
면한다.
⑤ 사용자는 임신 중의 여성 근로자에게 시간외근로를 하게 하여서는
아니 되며, 그 근로자의 요구가 있는 경우에는 쉬운 종류의 근로로
전환하여야 한다.
⑥ 사업주는 제1항에 따른 출산전후휴가 종료 후에는 휴가 전과 동
일한 업무 또는 동등한 수준의 임금을 지급하는 직무에 복귀시켜야
한다.
⑦ 사용자는 임신 후 12주 이내 또는 36주 이후에 있는 여성 근로
자가 1일 2시간의 근로시간 단축을 신청하는 경우 이를 허용하여야
한다. 다만, 1일 근로시간이 8시간 미만인 근로자에 대하여는 1일 근
로시간이 6시간이 되도록 근로시간 단축을 허용할 수 있다.
⑧ 사용자는 제7항에 따른 근로시간 단축을 이유로 해당 근로자의
임금을 삭감하여서는 아니 된다.
⑨ 사용자는 임신 중인 여성 근로자가 1일 소정근로시간을 유지하면
서 업무의 시작 및 종료 시각의 변경을 신청하는 경우 이를 허용하여
야 한다. 다만, 정상적인 사업 운영에 중대한 지장을 초래하는 경우
등 대통령령으로 정하는 경우에는 그러하지 아니하다.

출산 후에 90일(다태아의 경우 120일)의 보호휴가를 주도록 하고 있고, 휴가 기간의 배정은 출산 후에 45일(다태아의 경우 60일)이상이 되도록 하고 있다. 90일간의 산전 · 후 보호휴가 중 산후에 적어도 45일 이상 확보되어야 한다. 출산이란 임신 4개월 이상의 분만을 말한다.

산전 · 후 휴가 90일은 1명 이상 모든 사업장 근로자에게 적용된다. 산전휴가는 근로자가 청구한 때에 주어야 하지만, 산후에는 근로자의 청구가 없어도 주어야 한다. 산전 · 후 휴가는 연차유급 휴가청구권의 발생의 요건이 되는 출근율 계산에 있어서는 출근한 것으로 본다.

유 · 사산휴가

유 · 사산 휴가의 경우 근로자의 청구가 있으면 주어야 하며, 출산뿐만 아니라 임신 16주 이후 유산 또는 사산한 경우에는 건강회복에 필요한 휴가가 필요하므로 사용자는 임신 중의 여성이 유산 또는 사산할 경우로서 당해 근로자가 청구하는 때에는 대통령이 정하는 바에 따라 보호휴가를 주어야 한다.

유 · 사산 휴가도 산전 · 후 휴가의 하나이며, 법으로 보장되는 법정 휴가이다. 산전 · 후 휴가가 여성근로자의 신청 여부와 관계

---

⑩ 제7항에 따른 근로시간 단축의 신청방법 및 절차, 제9항에 따른 업무의 시작 및 종료 시각 변경의 신청방법 및 절차 등에 관하여 필요한 사항은 대통령령으로 정한다.

없이 의무적으로 부여되는 것과 달리 유사산휴가는 여성근로자가 신청한 경우만 부여되며, 휴가일의 산정시점은 유사산 시점부터 적용되기 때문에 늦게 신청하면 할수록 사용할 수 있는 휴가 기간이 줄어들게 된다. 유사산 휴가 중 급여는 산전·후 휴가와 동일한 방식이 적용된다. 즉 90일중 60일은 회사가 통상임금을 기준으로 임금을 지급해야 한다.

다만, 인공임신중절수술에 의한 유산의 경우는 보호휴가를 주지 아니하여도 된다. 그러나 강간이나 준강간 등 형법상 범죄에 의해 임신한 경우 혹은 법률상 혼인할 수 없는 혈족 또는 인척간에 임신된 경우 등과 같이 모자보건법 제14조 제1항의 규정에 해당되는 경우에는 보호휴가를 주어야 한다.

사업주는 유산·사산 휴가를 청구한 근로자에게 임신기간에 따라 유산·사산 휴가를 주어야 한다<표3>.

<표3> 유사산휴가 일수

유산 또는 사산한 근로자의 임신기간	유사산휴가일수
11주 이내	유산 또는 사산한 날로부터 5일까지
12주 이상 15주 이내	유산 또는 사산한 날로부터 10일까지
16주 이상 21주 이내	유산 또는 사산한 날로부터 30일까지
22주 이상 27주 이내	유산 또는 사산한 날로부터 60일까지
28주 이내	유산 또는 사산한 날로부터 90일까지

임산부의 보호휴가 기간 중 임금지급

산전 · 후 보호휴가 중 최초 60일은 유급으로 한다. 다만, 남녀 고용평등법 제18조에 따라 산전후 휴가급여 등이 지급된 경우에는 그 금액의 한도에서 지급의 책임을 면한다. 고용보험법상 우선지원 대상기업 여성근로자가 산전후휴가를 사용할 경우 고용보험에서 90분 산전후 휴가급여를 지급함으로써 사업주는 이에 대한 부담을 하지 아니하여도 된다.

산전후 휴가급여는 그 휴가기간에 대하여 근로기준법상 통상임금(산전후 휴가개시일 기준)에 상당하는 금액을 지급한다.

임산부의 보호

사업주는 산전후 보호휴가 종료 후에는 휴가전과 동일한 업무 또는 동등한 수준의 임금을 지급하는 직무에 복귀시켜야 한다. 사용자는 임신중의 여성근로자에게 시간외근로를 하게 하여서는 안 되며, 그 근로자의 요구가 있는 경우에는 쉬운 종류의 근로로 전환하여야 한다. 사업주는 사업이 불가능한 경우는 제외하고는 산전 · 후 보호휴가 기간과 그 후 30일간은 해고하지 못한다. 사용자는 임신한 여성근로자가 임산부 정기건강진단을 받는데 필요한 시간을 청구하는 경우 이를 허용해 주어야 한다

수유시간의 보장

근로기준법 제75조[41])에 따르면 생후 1년 미만의 유아를 가진 여성근로자가 청구하면 1일 2회 각각 30분 이상의 유급수유시간을 주어야 한다. 이 제도는 유아의 양육이라는 여성의 책임과 근로자로서의 직장생활의 확보를 양립시키려는데 그 취지가 있다.

생후 1년 미만의 유아를 가진 여성근로자이고, 유아는 당해 여성근로자가 출산한 자이든 또는 자기가 출산한 자가 아니든 불문한다. 또한 여성근로자의 기혼 · 미혼을 불문한다.

수유시간은 1일 2회 각각 30분 이상을 주어야 한다. 여기서 수유시간만을 의미하는 것이 아니라 여자근로자가 유아를 보살피는데 필요한 시간도 포함한다.

남녀고용평등법상의 보호

육아휴직

남녀고용평등법 제19조[42])에 따르면 사업주는 만 8세 이하 또는

---

41) **근로기준법 제75조(육아 시간)** 생후 1년 미만의 유아(乳兒)를 가진 여성 근로자가 청구하면 1일 2회 각각 30분 이상의 유급 수유 시간을 주어야 한다.

42) **남녀고용평등과 일 · 가정 양립 지원에 관한 법률 제19조(육아휴직)**
① 사업주는 임신 중인 여성 근로자가 모성을 보호하거나 근로자가 만 8세 이하 또는 초등학교 2학년 이하의 자녀(입양한 자녀를 포함한다. 이하 같다)를 양육하기 위하여 휴직(이하 "육아휴직"이라 한다)을 신청하는 경우에 이를 허용하여야 한다. 다만, 대통령령으로 정하는 경우에는 그러하지 아니하다.
② 육아휴직의 기간은 1년 이내로 한다.

초등학교 2학년 이하의 자녀를 가진 근로자가 그 자녀의 양육을 위하여 휴직(이하 "육아휴직"이라 한다)을 신청하는 경우에 이를 허용하여야 한다.

육아휴직을 신청할 수 있는 신청권자는 육아휴직 청구일 현재 만 8세 이하 또는 초등학교 2학년 이하의 자녀를 가진 근로자이다. 여성근로자가 아닌 남성근로자도 자유로이 신청할 수 있다. 육아휴직기간은 산후를 포함한 1년 이내의 기간을 한도로 한다.

사업주는 여성근로자에게 육아휴직을 이유로 불리한 처우를 해서는 아니되며, 육아휴직기간은 근속기간에 당연히 포함된다. 또한 육아휴직기간중 해고가 금지되고, 휴직종료 후 휴직전의 직무로 복귀시켜야 한다.

육아기 근로시간 단축

남녀고용평등법 제19조의2[43])에 따르면 사업주는 육아휴직을 신

---

③ 사업주는 육아휴직을 이유로 해고나 그 밖의 불리한 처우를 하여서는 아니 되며, 육아휴직 기간에는 그 근로자를 해고하지 못한다. 다만, 사업을 계속할 수 없는 경우에는 그러하지 아니하다.
④ 사업주는 육아휴직을 마친 후에는 휴직 전과 같은 업무 또는 같은 수준의 임금을 지급하는 직무에 복귀시켜야 한다. 또한 제2항의 육아휴직 기간은 근속기간에 포함한다.
⑤ 기간제근로자 또는 파견근로자의 육아휴직 기간은 「기간제 및 단시간근로자 보호 등에 관한 법률」 제4조에 따른 사용기간 또는 「파견근로자 보호 등에 관한 법률」 제6조에 따른 근로자파견기간에서 제외한다.
⑥ 육아휴직의 신청방법 및 절차 등에 관하여 필요한 사항은 대통령령으로 정한다.

청할 수 있는 근로자가 육아휴직 대신 근로시간의 단축을 신청하는 경우에 이를 허용할 수 있으며, 허용하지 아니하는 경우에는 해당 근로자에게 그 사유를 서면으로 통보하고 육아휴직을 사용하게 하거나 그 밖에 조치를 통하여 지원할 수 있는지를 해당 근로자와 협의하여야 한다.

육아기 근로시간 단축을 허용하는 경우 단축 후 근로시간은 주당 15시간 이상이어야 하고 35시간을 넘어서는 아니된다.

---

43) 남녀고용평등과 일·가정 양립 지원에 관한 법률 제19조의2(육아기 근로시간 단축) ① 사업주는 근로자가 만 8세 이하 또는 초등학교 2학년 이하의 자녀를 양육하기 위하여 근로시간의 단축(이하 "육아기 근로시간 단축"이라 한다)을 신청하는 경우에 이를 허용하여야 한다. 다만, 대체인력 채용이 불가능한 경우, 정상적인 사업 운영에 중대한 지장을 초래하는 경우 등 대통령령으로 정하는 경우에는 그러하지 아니하다.
② 제1항 단서에 따라 사업주가 육아기 근로시간 단축을 허용하지 아니하는 경우에는 해당 근로자에게 그 사유를 서면으로 통보하고 육아휴직을 사용하게 하거나 출근 및 퇴근 시간 조정 등 다른 조치를 통하여 지원할 수 있는지를 해당 근로자와 협의하여야 한다.
③ 사업주가 제1항에 따라 해당 근로자에게 육아기 근로시간 단축을 허용하는 경우 단축 후 근로시간은 주당 15시간 이상이어야 하고 35시간을 넘어서는 아니된다.
④ 육아기 근로시간 단축의 기간은 1년 이내로 한다. 다만, 제19조제1항에 따라 육아휴직을 신청할 수 있는 근로자가 제19조제2항에 따른 육아휴직 기간 중 사용하지 아니한 기간이 있으면 그 기간을 가산한 기간 이내로 한다.
⑤ 사업주는 육아기 근로시간 단축을 이유로 해당 근로자에게 해고나 그 밖의 불리한 처우를 하여서는 아니 된다.
⑥ 사업주는 근로자의 육아기 근로시간 단축기간이 끝난 후에 그 근로자를 육아기 근로시간 단축 전과 같은 업무 또는 같은 수준의 임금을 지급하는 직무에 복귀시켜야 한다.
⑦ 육아기 근로시간 단축의 신청방법 및 절차 등에 관하여 필요한 사항은 대통령령으로 정한다.

또한 육아기 근로시간 단축의 기간은 1년 이내로 한다. 사업주는 육아기 근로시간 단축을 이유로 해당 근로자에게 해고나 그 밖에 불리한 처우를 하여서는 아니되며, 육아기 근로시간 단축기간이 끝난 후에 그 근로자를 육아기 근로시간 단축전과 같은 업무 또는 같은 수준의 임금을 지급하는 직무에 복귀시켜야 한다.

직장어린이집

남녀고용평등법 제21조44)에 따르면 사업주는 근로여성의 계속 취업을 지원하기 위하여 수유 · 탁아 등 육아에 필요한 직장어린이집을 설치하여야 한다.

산전 · 후 휴가급여

남녀고용평등법 제18조45)에서는 산전후휴가 중 사업주가 통상임

---

44) **남녀고용평등과 일 · 가정 양립 지원에 관한 법률 제21조(직장어린이집 설치 및 지원 등)** ① 사업주는 근로자의 취업을 지원하기 위하여 수유 · 탁아 등 육아에 필요한 어린이집(이하 "직장어린이집"이라 한다)을 설치하여야 한다.
② 직장어린이집을 설치하여야 할 사업주의 범위 등 직장어린이집의 설치 및 운영에 관한 사항은 「영유아보육법」에 따른다.
③ 고용노동부장관은 근로자의 고용을 촉진하기 위하여 직장어린이집의 설치 · 운영에 필요한 지원 및 지도를 하여야 한다.
④ 사업주는 직장어린이집을 운영하는 경우 근로자의 고용형태에 따라 차별해서는 아니 된다.

45) **남녀고용평등과 일 · 가정 양립 지원에 관한 법률 제18조(출산전후휴가 등에 대한 지원)** ① 국가는 제18조의2에 따른 배우자 출산휴가, 「근로기준법」 제74조에 따른 출산전후휴가 또는 유산 · 사산 휴가를 사용한 근로자 중 일정한 요건에 해당하는 사람에게 그 휴가기간에

금을 지급하여야 하는 60일분을 제외한 나머지 무급휴가에 해당하는 기간에 대해 통상임금에 상당하는 금액을 국가가 지급할 것을 규정하고 있다.

육아휴직급여

남녀고용평등법 제19조46)에서는 근로자가 만8세 이하 또는 초

대하여 통상임금에 상당하는 금액(이하 "출산전후휴가급여등"이라 한다)을 지급할 수 있다.
② 제1항에 따라 지급된 출산전후휴가급여등은 그 금액의 한도에서 제18조의2제1항 또는 「근로기준법」 제74조제4항에 따라 사업주가 지급한 것으로 본다.
③ 출산전후휴가급여등을 지급하기 위하여 필요한 비용은 국가재정이나 「사회보장기본법」에 따른 사회보험에서 분담할 수 있다.
④ 근로자가 출산전후휴가급여등을 받으려는 경우 사업주는 관계 서류의 작성·확인 등 모든 절차에 적극 협력하여야 한다.
⑤ 출산전후휴가급여등의 지급요건, 지급기간 및 절차 등에 관하여 필요한 사항은 따로 법률로 정한다.

46) 남녀고용평등과 일·가정 양립 지원에 관한 법률 제19조(육아휴직)
① 사업주는 임신 중인 여성 근로자가 모성을 보호하거나 근로자가 만 8세 이하 또는 초등학교 2학년 이하의 자녀(입양한 자녀를 포함한다. 이하 같다)를 양육하기 위하여 휴직(이하 "육아휴직"이라 한다)을 신청하는 경우에 이를 허용하여야 한다. 다만, 대통령령으로 정하는 경우에는 그러하지 아니하다.
② 육아휴직의 기간은 1년 이내로 한다.
③ 사업주는 육아휴직을 이유로 해고나 그 밖의 불리한 처우를 하여서는 아니 되며, 육아휴직 기간에는 그 근로자를 해고하지 못한다. 다만, 사업을 계속할 수 없는 경우에는 그러하지 아니하다.
④ 사업주는 육아휴직을 마친 후에는 휴직 전과 같은 업무 또는 같은 수준의 임금을 지급하는 직무에 복귀시켜야 한다. 또한 제2항의 육아휴직 기간은 근속기간에 포함한다.
⑤ 기간제근로자 또는 파견근로자의 육아휴직 기간은 「기간제 및 단시간근로자 보호 등에 관한 법률」 제4조에 따른 사용기간 또는 「파견

등학교 2학년 이하의 자녀가 있는 경우 자녀의 양육을 위하여 휴직을 신청할 수 있고, 휴직기간동안 국가에 의한 생계비용의 지원 차원에서 고용보험을 통하여 일정액의 유아휴직급여를 지급하도록 한 것이다.

고용보험법상의 보호

임신 · 출산 후 계속고용지원금

고용보험법 시행령 제29조 제1항47)에 따르면 통상적인 조건하

근로자 보호 등에 관한 법률」 제6조에 따른 근로자파견기간에서 제외한다.
⑥ 육아휴직의 신청방법 및 절차 등에 관하여 필요한 사항은 대통령령으로 정한다.

47) **고용보험법 시행령 제29조(출산육아기 고용안정장려금)** ① 고용노동부장관은 법 제23조에 따라 다음 각 호에 해당하는 사업주에게 출산육아기 고용안정장려금을 지급한다.
1. 삭제
2. 피보험자인 근로자에게 「남녀고용평등과 일 · 가정 양립 지원에 관한 법률」 제19조에 따른 육아휴직 또는 같은 법 제19조의2에 따른 육아기 근로시간 단축(이하 "육아휴직등"이라 한다)을 30일[「근로기준법」 제74조제1항에 따른 출산전후휴가(이하 "출산전후휴가"라 한다)의 기간과 중복되는 기간은 제외한다] 이상 허용한 우선지원대상기업의 사업주
3. 피보험자인 근로자에게 출산전후휴가, 「근로기준법」 제74조제3항에 따른 유산 · 사산 휴가(이하 "유산 · 사산 휴가"라 한다) 또는 육아기 근로시간 단축을 30일 이상 부여하거나 허용하고 대체인력을 고용한 경우로서 다음 각 목의 요건을 모두 갖춘 우선지원대상기업의 사업주
가. 다음의 어느 하나에 해당할 것
1) 출산전후휴가, 유산 · 사산 휴가 또는 육아기 근로시간 단축의 시작일 전 2개월이 되는 날(출산전후휴가에 연이어 유산 · 사산 휴가 또는 육아기 근로시간 단축을 시작하는 경우에는 출산전후휴가 시작일

에서 근로계약기간이 1년 이하인 자(반복갱신하는 자 제외) 또는 파견근로자의 어느 하나에 해당하는 근로자로서 근로기준법 제74조의 산전후휴가중이거나 임신 16주 이상이 여성근로자가 당해 휴가 또는 임신 기간 중에 근로계약기간 또는 파견계약기간이 종료되는 경우 그 종료 즉시 계약기간을 1년 이상으로 하는 근로계약을 체결한 사업주에 대하여 고용노동부장관이 정하여 고시하는 금액을 6개월간 지급한다.

육아휴직장려금과 대체인력채용장려금

고용노동부장관은 근로자에게 30일 이상 육아휴직을 부여하고 휴직종료 후 30일 이상 계속 고용하는 경우에 육아휴직장려금을 지급하고 사업주가 육아휴직 시작일전 30일이 되는 날부터 신규로 대체인력을 30일 이상 고용하고, 육아휴직이 끝난 후 육아휴직자를 30일 이상 계속 고용한 경우로서 신규 대체인력을 채용하기 전 3

전 2개월이 되는 날) 이후 새로 대체인력을 고용하여 30일 이상 계속 고용한 경우
2) 피보험자인 근로자에게 임신 중에 60일을 초과하여 근로시간 단축을 허용하고 대체인력을 고용한 경우로서 그 근로자가 근로시간 단축 종료에 연이어 출산전후휴가, 유산·사산 휴가 또는 육아기 근로시간 단축을 시작한 이후에도 같은 대체인력을 계속 고용한 경우. 이 경우 대체인력을 고용한 기간은 30일 이상이어야 한다.
나. 삭제
다. 새로 대체인력을 고용하기 전 3개월부터 고용 후 1년까지(해당 대체인력의 고용기간이 1년 미만인 경우에는 그 고용관계 종료 시까지를 말한다) 고용조정으로 다른 근로자(새로 고용한 대체인력보다 나중에 고용된 근로자는 제외한다)를 이직시키지 아니할 것

개월부터 채용후 6개월까지 고용조정으로 근로자를 이직시키지 아니한 경우 육아휴직장려금 이외에 대체인력채용장려금을 지급한다 <그림30>.

<그림30> 모성보호 제도

모성보호 제도

여성근로자의 모성을 보호하고 육아를 지원하기 위해 만들어진 제도

 임산부 보호
- 임신 중인 근로자는 시간외근로 금지 (근로기준법 제74조 제5항)
- 산후 1년 미만의 여성은 1일 2시간, 1주 6시간, 1년 150시간을 초과하는 시간 외 근로 금지 (근로기준법 제71조)
- 임산부에게는 야간·휴일근로 금지
  단, 고용노동부 장관의 인가시 가능 (근로기준법 제70조 제2항)

임신기 근로시간 단축
- 임신 12주 이내 또는 36주 이후의 여성근로자에게는 1일 2시간의 근로시간 단축 청구권 보장 (근로기준법 제74조 제7항)
- 사용자는 근로시간 단축을 이유로 임금을 삭감할 수 없음 (근로기준법 제74조 제8항)

육아휴직
- 임신 중인 여성 근로자, 만 8세 이하 또는 초등 2학년 이하의 자녀 양육을 위한 육아휴직 보장 (남녀고용평등법 제19조 제1항)
- 육아휴직 기간 중에는 해고 및 기타 불리한 처우 금지 (남녀고용평등법 제19조 제3항)
- 육아휴직 후에는 휴직 전과 같은 업무 또는 같은 수준의 임금을 지급하는 직무로 복귀시켜야 함 (남녀고용평등법 제19조 제4항)

출산전후 휴가
- 출산전후 90일(다태아 120일) 휴가 부여 (근로기준법 제74조 제1항)
- 휴가 중 최초 60일(다태아 75일)은 유급
- 고용보험에서 출산전후휴가급여(월 200만원) 지급
  (단, 대기업은 최종 30일분만 지급)

출처 : 소규모 사업장을 위한 7가지 노른자 노동법(고용노동부)

중소기업/스타트업을 위한
인사·노무 ESG 비밀노트

제4장

퇴직 단계

근로관계의 종료

CHAPTER 1

CHAPTER 1
근로관계의 종료

근로계약 종료 사유는 근로자의 요청이나 동의에 따라 이루어지는 퇴직, 회사의 일방적 의사에 따라 이루어지는 해고, 근로자나 회사의 의사와 상관없는 자동소멸로 구분된다. 특히 근로자의 의사에 반해 회사의 일방적 결정으로 행해지는 해고의 경우 사유의 정당성(정당한 이유) 및 절차의 정당성을 모두 갖추어야 한다. 이러한 정당성을 갖추지 못한 경우 노동위원회 또는 법원에서 부당해고를 다투게 된다.

근로관계의 종료 사유

＊＊＊

근로관계는 ① 퇴직, ② 해고, ③ 자동소멸 등의 사유로 종료된다.

① 퇴직은 근로자의 동의나 요청에 의한 퇴직으로서 임의퇴직과 합의퇴직을 말한다.

임의퇴직은 근로자가 현재의 직장에서 일하는 것을 그만두는 행위를 말하며, 사직서 제출 등 근로자의 일방적 의사표시에 의해 근로관계를 종료시키는 것을 말한다.

합의퇴직이란 근로자가 근로계약 관계를 해지하겠다는 사직 의사를 사직서 또는 구두로 사용자에게 의사표시를 하고 이를 사용자가 수리함으로써 퇴직의 효력이 발생하는 경우를 말한다.

합의퇴직에는 퇴직 권유를 받고 근로자가 자유의사에 따라 사직서를 제출하여 퇴직하는 권고사직, 근로자가 스스로 사직서를 제출하여 퇴직하는 의원면직, 근로자가 명예퇴직신청 후 사용자가 요건 심사 후 근로관계를 종료시키는 명예퇴직이 있다.

② 해고는 근로자의 의사에 반하여 사용자가 일방적으로 근로관계를 종료시키는 것을 말하며, 징계해고/통상해고 및 경영상 이유에 의한 해고 등이 있다.

③ 자동소멸이란 정년의 도래, 근로계약 기간의 만료, 근로자의 사망, 사용자의 파산 등이 원인이 되어 근로자의 의사와 무관하게 근로관계가 종료되는 것을 말한다<그림31>. .

근로관계의 종료

근로관계의 종료는 크게 **퇴직(합의해지), 해고, 자동소멸**로 나눌 수 있음
해고는 그 사유 및 절차 등에 있어서 정당성을 갖추어야 함

퇴 직	해 고	자동소멸
근로자 동의(합의)·요청에 의함	근로자 의사에 반함	근로자 의사와 무관
• 임의퇴직 • 합의퇴직	• 징계해고·통상해고 • 경영상 해고	• 정년도달 • 계약기간 만료 • 근로자 사망 • 사용자 파산 등

출처 : 소규모 사업장을 위한 7가지 노른자 노동법(고용노동부)

해고

CHAPTER 2

CHAPTER 2
해고

    해고란 근로자의 의사와는 무관하게 사용자가 일방적으로 근로
관계를 종료시키는 것을 말한다. 근로기준법에 따라 사용자는 정당
한 이유없이 근로자를 해고할 수 없고, 해고를 한 경우 해고의 정
당한 이유를 증명할 책임이 있다. 또한 해고는 사용자의 일방적인
의사표시로서 근로관계를 종료시키는 조치이기 때문에 법원이나
노동위원회에서는 해고의 정당성에 대해서는 엄격하게 판단하므로
보다 신중하게 접근해야 할 것이다.

해고의 정당한 사유

＊ ＊ ＊

　해고는 근로자의 의사와는 관계없이 근로계약 내지 근로관계를 사용자의 일방적인 의사표시에 의하여 종료하게 하는 법률행위를 말한다. 근로기준법 제23조 제1항[48])에 따르면 사용자는 근로자에게 정당한 이유없이 해고를 하지 못한다고 규정하고 있으며, 정당한 이유의 내용은 개별적 사안에 따라 구체적으로 판단해야 할 것이지만 대체로 사회통념상 근로관계를 더 이상 지속시킬 수 없을 정도로 근로자에게 귀책사유가 있다든지 또는 부득이한 경영상의 필요가 있는 경우에 이에 해당한다고 할 것이다.

　정당한 해고의 사유는 ① 근로자의 일신상의 이유(통상해고), ② 근로자의 행태상의 이유(징계해고), ③ 경영상 이유(정리해고)가

---

48) **근로기준법 제23조(해고 등의 제한)** ① 사용자는 근로자에게 정당한 이유 없이 해고, 휴직, 정직, 전직, 감봉, 그 밖의 징벌(懲罰)(이하 "부당해고등"이라 한다)을 하지 못한다.

있다.

① 근로자의 일신상의 이유란 근로자가 계약상의 근로제공에 필요한 정신적·육체적 또는 기타의 적격성을 현저히 결하는 사정이 발생하여 그 결과 근로자가 자신의 지위에 상응하여 정당하게 요구되는 업무를 담당할 수 없는 경우를 말한다. 예를 들면 정신적·육체적인 적성의 결여(운전자가 눈이 멀게 됨, 음주벽이나 약물중독), 흠있는 노무의 급부(악단지휘자의 지휘·통솔능력 결여, 전문지식·기능 부족), 경쟁기업주와의 인척관계, 계약상의 노무급부를 곤란하게 할 정도의 질병 등이 있다.

② 근로자의 행태상의 이유란 근로자의 고의 · 과실로 근로계약상의 의무를 위반한 행위를 비롯하여 다른 동료 근로자와의 관계나 기타 경영 내적 · 외적 제도 및 조직과의 관계 등에서 발생하는 사유를 말한다. 이는 전체 경영질서와의 관련하에서 당해 행위의 원인, 사용자에게 미친 영향, 기업질서의 침해정도와 당사자의 이해정도 등을 고려하여 판단해야 할 것이다. 예를 들면 경영질서를 문란하게 한 행위, 신뢰관계를 중대하게 위반한 경우, 근로계약상의 성실의무를 위반한 경우(근무태만, 무단결근, 작업지시 혹은 복무규율위반, 업무중의 음주), 업무의 종류에 따라 특별히 요구되는 신뢰나 명성을 손상함으로써 근로계약상의 의무를 침해하는 경우를 말한다.

③ 경영상 이유란 긴박한 경영상의 필요로 인하여 근로자와의 근로관계의 존속이 불가능한 정도에 이른 경우를 말한다. 실질적 요건으로는 긴박한 경영상의 필요, 해고 회피 노력, 공정하고 합리적인 해고기준 설정, 근로자대표와의 성실한 협의 등이 필요하며, 형식적 요건으로는 일정 규모 이상 해고할 경우 고용노동부장관에 신고를 요한다.

정당하지 아니한 해고 사유로는 ① 성별·종교·사회적 신분을 이유로 한 해고, ② 위법행위 신고를 이유로 한 해고, ③ 부당노동행위로 인한 해고, ④ 남녀고용평등법상의 치별적 해고, ⑤ 산업안전보건법상의 해고금지사유가 있다.

① 성별·종교·사회적 신분을 이유로 한 해고, 즉 남녀의 차별적 대우나 국적·신앙 또는 사회적 신분을 이유로 한 해고는 무효이다.

② 위법행위 신고를 이유로 한 해고, 즉 사용자가 근로기준법과 동법 시행령에 위반하였음을 근로감독관에게 통고한 것을 이유로 근로자에게 해고 또는 기타 불이익 처우를 하지 못한다.

③ 부당노동행위로 인한 해고, 즉 근로자가 노동조합에 가입 또는 가입하려고 하였거나 노동조합을 조직하려 하였거나 기타 노동조합 업무를 위한 정당한 행위를 한 것을 이유로 근로자를 해고할 수 없다.

④ 남녀고용평등법상의 차별적 해고, 즉 남녀고용평등법 제11조

제1항49)에서 해고에 있어서 여성임을 이유로 남자근로자와의 차별을 금지하고 있다.

⑤ 산업안전보건법 제52조50)상의 해고금지사유, 즉 산업재해발생위험을 인하여 근로자가 작업 중지한 것을 이유로 한 해고 및 불이익 처분을 금지하고 있으며, 사용자가 동 위법행위를 근로자가 신고한 것을 이유로 해고 및 불이익 처분을 금지하고 있다.

---

49) **남녀고용평등과 일 · 가정 양립 지원에 관한 법률 제11조(정년 · 퇴직 및 해고)** ① 사업주는 근로자의 정년 · 퇴직 및 해고에서 남녀를 차별하여서는 아니 된다.

50) **산업안전보건법 제52조(근로자의 작업중지)** ① 근로자는 산업재해가 발생할 급박한 위험이 있는 경우에는 작업을 중지하고 대피할 수 있다.
② 제1항에 따라 작업을 중지하고 대피한 근로자는 지체 없이 그 사실을 관리감독자 또는 그 밖에 부서의 장(이하 "관리감독자등"이라 한다)에게 보고하여야 한다.
③ 관리감독자등은 제2항에 따른 보고를 받으면 안전 및 보건에 관하여 필요한 조치를 하여야 한다.
④ 사업주는 산업재해가 발생할 급박한 위험이 있다고 근로자가 믿을 만한 합리적인 이유가 있을 때에는 제1항에 따라 작업을 중지하고 대피한 근로자에 대하여 해고나 그 밖의 불리한 처우를 해서는 아니 된다.

해고 등의 제한

＊　＊　＊

　　근로기준법 제23조 제2항[51]에 따르면 사용자는 근로자가 업무
상 부상 또는 질병의 요양을 위하여 휴업한 기관과 그 후 30일 동
안 또는 산전·산후의 여성이 이 법에 따라 휴업한 기간과 그 후
30일 동안은 해고하지 못한다. 다만 사용자가 84조에 따라 일시보
상을 하였을 경우 또는 사업을 계속할 수 없게 된 경우에는 그러
하지 아니하다 라고 규정하고 있다. 이 규정은 비록 근로자에게 해
고의 정당한 이유가 있다고 하더라도 업무상 재해 또는 출산으로

---

51) **근로기준법 제23조(해고 등의 제한)** ② 사용자는 근로자가 업무상
　　부상 또는 질병의 요양을 위하여 휴업한 기간과 그 후 30일 동안 또
　　는 산전(産前)·산후(産後)의 여성이 이 법에 따라 휴업한 기간과 그
　　후 30일 동안은 해고하지 못한다. 다만, 사용자가 제84조에 따라 일
　　시보상을 하였을 경우 또는 사업을 계속할 수 없게 된 경우에는 그러
　　하지 아니하다.

인하여 노동력을 상실하고 있는 그 휴업기간과 노동력 회복을 위한 그 후 30일간에 대하여 해고를 금지함으로써 근로자가 해고의 위협없이 노동력 회복에 전념하고 생존의 위험을 받지 않도록 하려는 데 그 취지가 있다.

업무상 재해의 경우 해고의 제한은 업무상 부상 또는 질병에 관한 것이므로 업무외의 사적인 병 등으로 인한 경우에는 적용되지 아니한다. 이 때의 휴업은 전부휴업 또는 일부휴업을 모두 포함한다.

산전·산후 휴업한 경우 산전·산후 보호 휴가 기간인 90일간과 그 후 30일 동안은 해고할 수 없다. 사용자가 법을 위반하여 산전·후의 90일간에 해당되는 기간에 근로를 시키는 경우에도 그 기간과 그 후의 30일간은 해고할 수 없다.

또한 사업주는 육아휴직을 이유로 해고 기타 불리한 처우를 하여서는 아니되며, 육아휴직 기간 동안은 당해 근로자를 해고하지 못한다.

다만, 요양보상을 받고 있는 근로자가 요양개시 후 2년을 경과하여도 부상 또는 질병이 완치되지 않는 경우에 평균임금의 1,340일분의 일시보상을 행하였을 때에는 사용자는 당해 근로자를 즉시 해고할 수 있다. 또한 천재·사변 기타 부득이한 사유 등으로 인하여 사업이 중단되는 일시적 사유는 물론 회사의 파산·소멸 등 사업이 종료되는 영구적 사유로 인하여 사업을 계속할 수 없게 된 경우 즉시 해고할 수 있다.

이러한 해고시기제한 규정을 위반하여 해고시기 제한기간 중 근로자를 해고하면 해고는 사법상 무효가 되며, 사용자는 근로기준법 제107조의 벌칙규정에 의해 징역 또는 벌금형에 처해지게 된다 <그림32>.

<그림32> 해고 등의 제한

해고 등의 제한

해고의 정당한 사유가 있더라도 보호가 필요한 근로자는 일정기간 해고할 수 없도록 규정

 근로기준법 제23조 제2항
사용자는 근로자가 업무상 부상 또는 질병의 요양을 위하여 휴업한 기간과 그 후 30일 동안 또는 산전·산후 여성이 이 법에 따라 휴업한 기간과 그 후 30일 동안은 해고하지 못한다. 다만, 사용자가 제84조에 따라 일시 보상을 하였을 경우 또는 사업을 계속 할 수 없게 된 경우에는 그러하지 아니하다.

원칙
- 업무상 부상, 질병의 요양을 위하여 휴업한 기간과 그 후 30일간
- 출산 전·후 휴가기간과 그 후 30일간
  ※ 육아휴직 기간에 해고 금지(남녀고용평등법 제19조제3항). 단, 사업을 계속할 수 없는 경우 예외

예외
- 근로기준법 제84조의 일시 보상을 행한 경우
- 사업을 계속할 수 없는 경우

위반효과
- 당해 해고는 무효, 벌칙 적용

해고금지 기간의 효력
- 정당한 해고 사유가 있더라도, 해고 금지기간에 해고시에는 무효가 됨
- 사용자는 해고 금지기간 중 해고한 경우 형사처벌
  (5년 이하 징역 또는 5천만원 이하 벌금)

출처 : 소규모 사업장을 위한 7가지 노른자 노동법(고용노동부)

해고의 예고

* * *

근로기준법 제26조[52])에 따르면 사용자는 근로자를 해고(경영상 이유에 의한 해고 포함)를 하려면 적어도 30일 전에 예고를 하여야 하고, 30일 전에 예고를 하지 아니하였을 때에는 30일분 이상의 통상임금을 지급하여야 한다고 규정하고 있다. 해고예고제도는 근로자를 해고하고자 할 경우에는 비록 정당한 이유가 있더라도 갑작스런 해고로 인해 생활기반이 상실되는 것을 방지하고 새로운

---

52) **근로기준법 제26조(해고의 예고)** 사용자는 근로자를 해고(경영상 이유에 의한 해고를 포함한다)하려면 적어도 30일 전에 예고를 하여야 하고, 30일 전에 예고를 하지 아니하였을 때에는 30일분 이상의 통상임금을 지급하여야 한다. 다만, 다음 각 호의 어느 하나에 해당하는 경우에는 그러하지 아니하다.
1. 근로자가 계속 근로한 기간이 3개월 미만인 경우
2. 천재·사변, 그 밖의 부득이한 사유로 사업을 계속하는 것이 불가능한 경우
3. 근로자가 고의로 사업에 막대한 지장을 초래하거나 재산상 손해를 끼친 경우로서 고용노동부령으로 정하는 사유에 해당하는 경우

직장을 구하는 데 필요한 시간적 여유를 부여하거나 그 기간 동안의 생계비를 지급하기 위하여 마련된 제도이다.

해고예고는 적어도 30일 이전에 하여야 한다. 따라서 당사자의 합의나 취업규칙 또는 단체협약 등에 의하여 30일 이상으로 예고기간을 연장하는 것은 가능하다. 해고예고의 방법에 관한 특별한 규정이 없으므로 해당 근로자가 해고예고의 사실을 알 수 있다면 문서 · 구두 또는 게시 등 어떠한 방법으로도 가능하다. 해고예고의 효력은 예고통지가 근로자에게 도달한 때에 발생하며, 일단 해고예고를 하고 나면 추후에 이를 취소하여도 근로자의 동의가 없는 한 철회로서의 효력이 없다.

30일 전에 해고예고를 하지 않은 경우에는 이에 갈음하여 30일분 이상의 통상임금을 지급하여야 한다. 해고의 예고가 있는 경우에도 예고기간 만료시까지는 기존 근로관계가 유효하게 존속한다. 따라서 예고기간동안 근로자는 근로를 제공해야 할 의무가 있으며 사용자는 이에 대하여 임금을 지급하여야 한다.

해고예고는 정당한 사유가 있는 해고의 절차이지, 해고예고를 했다고 해서 정당하지 않은 해고가 정당하게 되는 것은 아니다<그림 33>.

<그림33> 해고의 예고

해고의 예고

해고의 정당한 사유가 있더라도 근로자의 생계보호를 위해 30일 전 해고 예고하여야 하고,
해고예고 수당은 해고 일 전까지

근로기준법 제26조

사용자는 근로자를 해고(경영상의 이유 포함)하려면 적어도 30일전에
예고를 하여야 하고, 30일 전에 예고를 하지 아니하였을 때에는
30일분 이상의 통상임금을 지급하여야 한다.

내용

- 해고를 하고자 하는 날로부터 30일전 예고
- 30일 전 예고를 하지 않은 경우 30일분 이상의 통상임금 지급
- 해고예고를 하였다고하여 해고의 정당성이 인정되는 것은 아님

방법
- 해고예고는 반드시 서면으로 할 필요가 없고 구두 등의 방법으로
  하더라도 그 효력이 인정됨(해고사유 등의 서면통지 규정과 구별)
- 대상 근로자, 해고사유, 시기를 명확화 (불확정기한, 조건부 예고는 무효)

출처 : 소규모 사업장을 위한 7가지 노른자 노동법(고용노동부)

해고예고의 예외

＊ ＊ ＊

　근로기준법 제26조[53])에 따르면 근로자가 계속 근로한 기간이 3
개월 미만인 경우, 천재ㆍ사변 그 밖의 부득이한 사유로 사업을
계속하는 것이 불가능한 경우 또는 근로자가 고의로 사업에 막대
한 지장을 초래하거나 재산상 손해를 끼친 경우로서 고용노동부령
으로 정하는 사유에 해당하는 경우에는 그렇지 않다고 규정하고
있다. 이는 사용자의 귀책사유 없는 불가항력적인 상황에서도 해고

---

53) **근로기준법 제26조(해고의 예고)** 사용자는 근로자를 해고(경영상 이
유에 의한 해고를 포함한다)하려면 적어도 30일 전에 예고를 하여야
하고, 30일 전에 예고를 하지 아니하였을 때에는 30일분 이상의 통
상임금을 지급하여야 한다. 다만, 다음 각 호의 어느 하나에 해당하는
경우에는 그러하지 아니하다.
1. 근로자가 계속 근로한 기간이 3개월 미만인 경우
2. 천재ㆍ사변, 그 밖의 부득이한 사유로 사업을 계속하는 것이 불가
능한 경우
3. 근로자가 고의로 사업에 막대한 지장을 초래하거나 재산상 손해를
끼친 경우로서 고용노동부령으로 정하는 사유에 해당하는 경우

예고의무를 요구하는 것은 형평에 반하고, 근로자가 사용자에 대하여 중대한 의무위반행위를 함으로써 기본적인 신뢰관계를 파괴하는 경우까지 근로자에게 해고예고의 보호를 부여할 필요가 없기 때문이다.

계속 근로한 기간이 3개월 미만인 단기 취업근로자나 천재 · 사변 또는 천재 · 사변에 준할 정도의 불가항력에 의한 돌발적인 사유로 사업을 계속하는 것이 불가능한 경우 또는 근로자가 고의로 사업에 막대한 지장을 초래하거나 재산상 손해를 끼친 경우에는 즉시해고할 수 있다.

근로자가 고의로 사업에 막대한 지장을 초래하거나 재산상 손해를 끼친 경우로서 고용노동부령(근로기준법 시행규칙 제4조)으로 정하는 사유는 다음과 같다.

① 납품업체로부터 금품이나 향응을 제공받고 불량품을 납품받아 생산차질을 가져온 경우, ② 영업용 차량을 임의로 ㅌ인에게 대리운전하게 하여 교통사고를 일으킨 경우, ③ 사업의 기밀이나 그 밖의 정보를 경쟁관계에 있는 다른 사업자 등에게 제공하여 사업에 지장을 가져온 경우, ④ 허위 사실을 날조하여 유포하거나 불법 집단행동을 주도하여 사업에 막대한 지장을 가져온 경우, ⑤ 영업용 차량 운송 수입금을 부당하게 착복하는 등 직책을 이용하여 공금을 착복, 장기유용, 횡령 또는 배임한 경우, ⑥ 제품 또는 원료 등을 몰래 훔치거나 불법 반출한 경우, ⑦ 인사 · 경리 · 회계 담당 직원이 근로자의 근무상황 실적을 조작하거나 허위 서류 등을

작성하여 사업에 손해를 끼친 경우, ⑧ 사업장의 기물을 고의로 파손하여 막대한 지장을 가져온 경우, ⑨ 그 밖에 사회통념상 고의로 사업에 막대한 지장을 가져오거나 재산상 손해를 끼쳤다고 인정되는 경우<그림34>

<그림34> 해고예고의 예외

해고 예고의 예외

1 근로자가 계속 근로한 기간이 3개월 미만인 경우

2 **천재사변, 그밖의 부득이한 사유로** 사업을 계속하는 것이 불가능한 경우

3 **근로자가 고의로** 사업에 막대한 지장을 초래하거나 재산상 손해를 **끼친 경우로서** 고용노동부령으로 정하는 사유에 해당하는 경우

- 납품업체로부터 금품이나 향응을 제공받고 불량품을 납품받아 생산차질을 가져온 경우
- 영업용 차량을 임의로 타인에게 대리운전하게 하여 교통사고를 일으킨 경우
- 사업의 기밀이나 그 밖의 정보를 경쟁관계에 있는 사업체 등에 제공하여 사업에 지장을 가져온 경우
- 허위사실을 날조하여 유포하거나 불법집단행동을 주도하여 사업에 막대한 지장을 가져온 경우
- 영업용 차량 운송 수입의 부당 착복 등 직책을 이용한 공금 착복, 장기유용, 횡령·배임 등
- 인사·경리·회계담당직원이 근로자의 근무상황 실적을 조작하거나 허위서류등을 작성, 사업에 손해를 끼친 경우
- 사업장의 기물을 고의로 파손
- 그밖의 사회통념상 고의로 막대한 지장을 가져오거나 손해를 끼쳤다 인정 된 경우

출처 : 소규모 사업장을 위한 7가지 노른자 노동법(고용노동부)

해고예고수당

＊ ＊ ＊

근로기준법 제26조[54])에 따르면 사용자는 근로자를 해고(경영상
이유에 의한 해고 포함)를 하려면 적어도 30일 전에 예고를 하여
야 하고, 30일 전에 예고를 하지 아니하였을 때에는 30일분 이상
의 통상임금을 지급하여야 한다고 규정하고 있다. 이 때 지급하는
통상임금을 '해고예고수당'이라고 한다.

---

54) **근로기준법 제26조(해고의 예고)** 사용자는 근로자를 해고(경영상 이
유에 의한 해고를 포함한다)하려면 적어도 30일 전에 예고를 하여야
하고, 30일 전에 예고를 하지 아니하였을 때에는 30일분 이상의 통
상임금을 지급하여야 한다. 다만, 다음 각 호의 어느 하나에 해당하는
경우에는 그러하지 아니하다.
1. 근로자가 계속 근로한 기간이 3개월 미만인 경우
2. 천재·사변, 그 밖의 부득이한 사유로 사업을 계속하는 것이 불가
능한 경우
3. 근로자가 고의로 사업에 막대한 지장을 초래하거나 재산상 손해를
끼친 경우로서 고용노동부령으로 정하는 사유에 해당하는 경우

주 40시간 일을 하며, 월 250만원을 받는 월급제 근로자의 해고 예고수당'은 다음과 같이 계산된다.

2,500,000원 / 209시간 = 11,962원이 시급이 되고, 8시간을 근무하니 11,962원 × 8시간 = 95,694원이 일급이고, 30일분을 지급해야 하니 95,694원 × 30일 = 2,870,812원이 해고예고수당이 된다<그림35>.

해고예고수당의 산정

월급제 근로자

요건	상시근로자 4인, 월급제(월 250만원), 주 40시간 근무
산정 예시	월 209시간에 대한 임금 - 시급: 11,961.72원(250만원/209시간), 통상일급: 95,693.76원 해고예고수당 - 통상일급(95,693.76원) × 30일분 = 2,870,812원

단시간 근로자

1. 단시간근로자의 임금산정 단위는 시간급이 원칙,
   1일 소정근로시간 수에 시간급 임금을 곱하여 시간급을 일급 통상임금으로 산정
2. 단시간근로자의 1일 소정근로시간 수는 4주 동안의 소정근로시간을
   그 기간의 통상 근로자의 총 소정근로일 수로 나눈 시간 수

요건	시급 9,160원, 월(4h)·수(7h)·금(7h) 근로, 4주간 소정근로일수(20일)
산정 예시	통상일급(32,976원) = 9,160원 × 3.6시간 [(18시간*4주)/(20일)] 해고예고수당(989,280원) = 32,976원 × 30일

출처 : 소규모 사업장을 위한 7가지 노른자 노동법(고용노동부)

제4장 퇴직 단계

퇴직금

CHAPTER 3

CHAPTER 3
퇴직금

　퇴직급여란 계속적 근로관계의 종료를 사유로 하여 사용자가 퇴직하는 근로자에게 지급하는 금전급부를 말하며, 그 지급방법에는 퇴직일시금제와 연금제가 있다. 퇴직급여의 법적 성질에 대해 판례는 일반적으로 퇴직금은 근로계약이 얼마간 지속되다가 그 근로계약이 종료될 때에 근로자에게 지급되는 후불적 임금의 성질을 띤 것으로 근로기준법에서 말하는 임금에 해당한다 할 것이라고 하여 임금후불설의견해를 취하고 있다.

퇴직급여제도

* * *

    퇴직급여란 계속적 근로관계의 종료를 사유로 하여 사용자가 퇴직하는 근로자에게 지급하는 금전급부를 말하며, 그 지급방법에는 퇴직일시금제와 연금제가 있다. 퇴직급여의 법적 성질에 대해 판례는 일반적으로 퇴직금은 근로계약이 얼마간 지속되다가 그 근로계약이 종료될 때에 근로자에게 지급되는 후불적 임금의 성질을 띤 것으로 근로기준법에서 말하는 임금에 해당한다 할 것이라고 하여 임금후불설의견해를 취하고 있다.

    근로자퇴직급여보장법 제4조[55])에 따르면 사용자는 퇴직하는 근

---

55) **근로자퇴직급여보장법 제4조(퇴직급여제도의 설정)** ① 사용자는 퇴직하는 근로자에게 급여를 지급하기 위하여 퇴직급여제도 중 하나 이상의 제도를 설정하여야 한다. 다만, 계속근로기간이 1년 미만인 근로자, 4주간을 평균하여 1주간의 소정근로시간이 15시간 미만인 근로자에 대하여는 그러하지 아니하다.
    ② 제1항에 따라 퇴직급여제도를 설정하는 경우에 하나의 사업에서

로자에게 급여를 지급하기 위하여 퇴직급여제도 중 하나 이상의 제도를 설정하여야 한다. 퇴직급여제도를 설정함에 있어서 하나의 사업 내에 차등제도를 두어서는 아니된다. 차별 내용으로는 퇴직금 산정에서 기초임금의 산입, 근속연수의 산정 및 누진율의 적용 등 일체의 차별이 포함된다. 사용자가 퇴직급여제도의 종류를 선택하거나 선택한 퇴직급여제도를 다른 종류의 퇴직급여제도로 변경하고자 하는 경우에는 근로자대표의 동의를 얻어야 한다. 퇴직급여제도를 설정하지 아니한 경우에는 퇴직금제도를 설정한 것으로 본다 <그림36>.

급여 및 부담금 산정방법의 적용 등에 관하여 차등을 두어서는 아니된다.
③ 사용자가 퇴직급여제도를 설정하거나 설정된 퇴직급여제도를 다른 종류의 퇴직급여제도로 변경하려는 경우에는 근로자의 과반수가 가입한 노동조합이 있는 경우에는 그 노동조합, 근로자의 과반수가 가입한 노동조합이 없는 경우에는 근로자 과반수(이하 "근로자대표"라 한다)의 동의를 받아야 한다.
④ 사용자가 제3항에 따라 설정되거나 변경된 퇴직급여제도의 내용을 변경하려는 경우에는 근로자대표의 의견을 들어야 한다. 다만, 근로자에게 불리하게 변경하려는 경우에는 근로자대표의 동의를 받아야 한다.

<그림36> 퇴직급여제도

퇴직급여제도

퇴직급여법 제4조 제1항

핵심 포인트

사용자는 퇴직하는 근로자에게 급여를 지급하기 위하여 퇴직급여제도 중 하나 이상의 제도를 설정하여야 한다. 다만, 계속근로기간이 1년 미만인 근로자, 4주간을 평균하여 1주간의 소정근로시간이 15시간 미만인 근로자에 대하여는 그러하지 아니하다.

퇴직 급여

퇴직금 제도
근로자 퇴직 시 사용자가 근로자에게 퇴직급여 지급 ('22.4.14. 부터 퇴직금은 개인형퇴직연금제도의 계정으로 지급 하여야 함)

퇴직연금 제도
사용자는 퇴직급여 재원을 퇴직연금사업자(금융기관)에 적립, 근로자는 퇴직 시 금융기관에서 퇴직급여 수령

판 례   **근로자의 채무액을 퇴직금에서 공제할 수 있는지**

근로자의 귀책사유에 의해 사용자에게 손해를 보게 한 책임과 사용자의 퇴직금 지급의무는 다르므로, 징계해고 등 어떠한 경우라도 그 지급을 제한하거나 손해배상액을 빼고 지급할 수 없다.

대판 1975.7.22, 74다1840 외 다수 판결

출처 : 소규모 사업장을 위한 7가지 노른자 노동법(고용노동부)

퇴직금제도

✳ ✳ ✳

    퇴직금제도를 설정하고자 하는 사용자는 계속근로기간 1년에 대하여 30일분 이상의 평균임금을 퇴직금으로 퇴직하는 근로자에게 지급할 수 있는 제도를 설정해야 한다. 퇴직급여를 지급받기 위해서는 계속근로기간이 1년 이상이어야 한다. 여기서 계속근로기간이라 함은 근로계약체결시부터 종료시까지 근로계약의 존속기간, 즉 실근로연수와 관계없는 재직기간을 말한다.

    퇴직하는 근로자에게 지급해야 하는데, 여기서 근로자라 함은 근로기준법 제2조 제1항 제1호의 근로자로서 사용자와 실질적 근로관계가 존재하면 임시직, 일용직, 도급 등 고용형식에 구애받지 아니하고 적용된다.

    퇴직이라 함은 근로관계가 종료되는 모든 경우를 말하므로 임의퇴직이나 해고, 사망, 기간의 만료로 인한 자동퇴직, 정년 등 퇴직의 원인 여하를 불문한다.

퇴직금은 계속근로기간 1년에 대하여 30일분 이상의 평균임금을 퇴직하는 근로자에게 지급하여야 한다. 이 때 특수한 근무기간의 계속근로연수 포함 여부가 문제된다.

① 비정형근로시간

일용근로자, 임시공, 시용, 수습형태로 근로하다가 정식근로자가 되어 계속근로한 경우에는 고용형식에 관계없이 계속근로연수에 포함된다.

② 휴직기간

계속근로연수는 재직연수와 동일하게 보아 휴직기간 중에 보수 유무, 휴직사유 여하에 관계없이 휴직기간도 계속근로연수에 포함된다.

③ 군복무기간

군복무기간의 경우 판례는 계속근로연수에 포함되지 않는다고 본다.

④ 기업의 조직변경

기업의 합병·분할 및 조직변경의 경우에 기업 자체의 동일성이 유지되고 있는 한 그 이전 기간도 계속근로연수에 포함된다.

계속근로연수가 1년 이상으로 1년이 안되는 단수가 있는 경우에는 월과 일별로 나누어 계산한다.

{근속연수 + (단수인 근속월수 ÷ 12) + (단수인 근속일수 ÷ 365)} x 30

퇴직금은 근로기준법 제2조 제1항 제6호의 사유발생일인 퇴직시를 기준으로 산정해야 한다. 만일 퇴직금중간정산의 경우에는 정산시를 기준으로 산정해야 한다.

사용자는 근로자가 퇴직한 경우에는 14일 이내에 퇴직금을 지급해야 한다. 다만, 특별한 사정이 있는 경우에는 당사자간의 합의에 의하여 지급기일을 연장할 수 있다.

이 법에 의한 퇴직금을 받을 권리는 3년간 행사하지 아니하면 시효로 인하여 소멸한다.

사용자는 근로자의 요구가 있는 경우에는 근로자가 퇴직하기 전에 당해 근로자가 계속 근로한 기간에 대한 퇴직금을 미리 정산하여 지급할 수 있다<그림37>.

<그림37> 퇴직금제도

퇴직금제도

근로자 퇴직 시 계속근로기간 1년에 대하여
30일분 이상의 평균임금을 퇴직금으로 지급하는 제도

 계속근로기간이란?

계속근로기간이란 계속하여 근로를 제공한 기간,
근로계약을 체결하여 해지될 때까지의 기간

근로계약을 갱신하거나 동일한 조건의 근로계약을
반복하여 체결한 경우에는 갱신 또는 반복기간을 모두 합산

고용형태의 변경이 이루어져도 변경 전후의 기간 합산

기업의 합병·분할, 양도, 조직변경의 경우에도 근로관계가
포괄적으로 승계된 때에는 계속 근로로 인정

출처 : 소규모 사업장을 위한 7가지 노른자 노동법(고용노동부)

퇴직연금제도

＊ ＊ ＊

퇴직연금제도는 확정급여형 퇴직연금(Defined Benefit)과 확정기여형 퇴직연금(Defined Contribution)이 있다.

확정급여형 퇴직연금이란 근로자의 연금급여가 사전에 확정되며, 사용자의 적립부담은 적립금 운용 결과에 따라 변동하게 되는 퇴직연금제도이다.

확정기여형 퇴직연금이란 사용자의 부담금이 사전에 확정되고, 근로자의 연금급여는 적립금 운용수익에 따라 변동하게 되는 퇴직연금제도이다.

확정급여형이나 확정기여형 퇴직연금제도를 설정하고자 하는 사용자는 근로자대표의 동의를 얻어 확정급여형이나 확정기여형 퇴직연금규약을 작성하여 고용노동부장관에게 신고해야 한다.

확정급여형이나 확정기여형 퇴직연금제도의 퇴직연금규약상 공통 기재사항은 다음과 같다.

① 퇴직연금사업자 선정에 관한 사항, 가입자에 관한 사항

② 가입기간에 관한 사항

③ 급여의 종류 및 수급요건 등에 관한 사항

④ 운용관리업무 및 자산관리업무의 수행을 내용으로 하는 계약의 체결 및 해지, 해지에 따른 계약이전에 관한 사항

⑤ 확정급여형퇴직연금 운용현황의 통지에 관한 사항

⑥ 가입자의 퇴직 등 급여지급 사유발생과 급여의 지급절차에 관한 사항

⑦ 퇴직연금의 폐지·중단에 관한 사항

상시 근로자 10명 미만을 사용하는 사업의 경우 사용자가 근로자대표의 동의를 얻어 근로자 전원으로 하여금 개인퇴직계좌를 설정하게 한 경우에는 퇴직급여제도를 설정한 것으로 본다<그림38>.

<그림38> 퇴직연금제도

퇴직연금제도

회사가 퇴직급여 지급을 위한 재원을 퇴직연금사업자에 적립하고,
근로자가 퇴직할 때 퇴직급여를 일시금 또는 연금으로 지급하는 제도

확정급여형(DB)

사용자는 매년 부담금을 퇴직연금사업자에 적립하고,
적립금을 운용
- 근로자는 퇴직 시 계속근로기간 1년에 대해 30일분 이상의
  평균임금을 퇴직급여로 수령

확정기여형(DC)
10명미만 기업에
대한 특례제도

사용자는 퇴직연금사업자에 개설한 근로자의 개별계좌에
부담금을 납입하고 근로자가 적립금을 운용
- 근로자는 퇴직 시 적립금 운용 결과를 수령

사용자	근로자
• 사용자가 납입하는 퇴직급여 부담금은 전액 손비 인정	• 근로자 추가납입금 세액공제 (연700만원) * 50세 이상 세액공제 한도 연900만원으로 확대 ('20~'22년 까지 한시 운영) • 연금수령 시 퇴직소득세 30% 감면 * 연금수령 연차 10년 초과 시 퇴직소득세 40% 감면 ('20년부터 적용)

출처 : 소규모 사업장을 위한 7가지 노른자 노동법(고용노동부)

<참고문헌>

고용노동부, 핵심만 담은 노무관리 가이드북 (2022)
　　　　https://www.moel.go.kr

고용노동부, 소규모사업장을 위한 7가지 노른자 노동법 (2023)
　　　　https://www.moel.go.kr

중소벤처기업부 보도자료, 이에스지(ESG)벤처투자 표준 지침
　　　　(가이드라인) 마련해 시범운용 실시 (2022.7.14.)

김형배, 박지순, 노동법강의 제13판 (2024) / 신조사

박현웅, 쉽게 풀어 쓴 노동법 (2020) / 푸른겨울

박현웅, 일하는 사람들을 위한 쏙쏙 노동법 (2021) / 푸른겨울

현창호 외 9인, 인사·노무 ESG 실천 매뉴얼 (2022) / 좋은땅

대한상공회의소,삼정KPMG, 중소기업 ESG 추진전략 (2021)

에필로그

ESG는 국내외적으로 주목받고 있는 사항으로 전세계 국가로 확산되고 있으며, 지속가능한 투자에 대한 전세계 투자자들의 관심과 이목을 집중시키고 있다. 아무도 예측하지 못했던 코로나19의 팬데믹(세계적 대유행)으로 전 세계에서는 정치, 경제, 사회, 문화 등 모든 분야에서 대면접촉(Tact)을 금지하고 비대면접촉(Untact)에 의한 활동을 해야하는 상황이 되었다. 이에 따라 비대면 활동을 지원하는 언택트 산업과 코로나19에 대응하는 기술 · 서비스를 보유한 기업에 대한 투자가 늘고 있다. 투자자들은 코로나19처럼 예상하지 못했던 이슈에 의해 전세계의 환경과 활동, 생활방식까지 바뀌게 되고 그에 대응하기 위한 친환경적인 인식이 변화하는 계기를 맞고 있다. 또한 자산운용사들 역시 코로나19로 인해 기업과 개인의 활동이 붕괴되어지는 상황에서 지속가능하고 내성이 있는 비즈니스 모델을 찾아서 투자포인트를 만들어가는 신상품 개발에 노력하고 있다.

자본시장연구원 박혜진 연구위원에 따르면 "ESG펀드의 요소는 펀드의 투자목적과 포트폴리오 등이 투자자가 신뢰할 수 있는 가치 기준으로 설계되어야 하는 점이 매우 중요하며, 이 가치 기준의 신뢰도 문제는 펀드의 장기 투자에 대한 성장성과 하방 손실 위험에 대한 방어력 등 객관적으로 인정되는 운용전략과 투자 대상 기업의 재무적 · 비재무적 정보의 투명성과 신뢰성을 동시에 인정받을 수 있어야 일반 투자자들도 동참하는 ESG투자의 방향성이 바르게 제공될 수 있다"고 하였다.

본 책을 통하여 아직 초기 단계인 우리나라의 ESG시장에서 ESG관련 투자가 더욱 확대되고, 중소기업 및 벤처기업 등에 대한 적절한 ESG평가지표를 여신 및 투자 의사결정에 반영하는 등 ESG투자의 방향성을 올바르게 설정하는데 도움이 되길 바란다.